Nathalie Suzanne

Sucrez-vous le bec... sans sucre!

TOME 2

Approuvé par
l'Association des
hypoglycémiques
du Québec.

Éditeur:
Les Éditions Pierre Derek
Montréal, Province de Québec, Canada

Photographies:
Philion - Parizeau

Stylisme:
Dominique Philion

Accessoires:
Arthur Quentin

Tous droits réservés.
Il est interdit de reproduire les textes
de ce livre en totalité ou en partie,
par quelque procédé que ce soit,
sans l'autorisation écrite de l'éditeur.

© Les Éditions Pierre Derek

Dépôt légal — 3e trimestre , 1989
Bibliothèque Nationale du Québec
Bibliothèque Nationale du Canada

ISBN: 2-9801549-1-1

Approuvé par : Association des hypoglycémiques
du Québec
3696, rue Dandurand
MONTRÉAL (Québec)
H1X 1N8
Tél : (514) 593 - 8355

À mes meilleurs souvenirs...
Et à tous ceux qui en font partie

Remerciements

Je remercie Pierre Derek qui fut tour a tour mon premier dégustateur, mon second palais et mon troisième œil...sans parler de son célèbre sens critique qui cette fois, je dois bien l'avouer, fit des merveilles, de la réalisation à la mise en marché...; mes voisines, Élise et Lucie, qui se sont littéralement jetées sur ces desserts, malgré la peur qu'elles avaient de prendre quelques kilos...(critique oblige!); Gilles Parent, naturopathe, pour sa disponibilité et sa compétence; Lise Tousignant, acuponctrice, pour sa patience et ses sourires; Christiane et Marc, pour leur intérêt si stimulant; tous ceux qui, de par leur bon goût, ont fait du premier livre un succès... (ayoye!) et tous ceux qui feront de même pour celui-ci...

Juste un mot pour vous dire que…

Si un voyant m'avait dit, il y a deux ans: «Bientôt, vous écrirez un livre de recettes de desserts sans sucre», je l'aurais certainement pris pour un fou, quelque soit la réputation qui l'aurait précédé! Moi, dans ma cuisine en train de popoter sans sucre? Ben, voyons donc! Ne cuisinant que pour mon propre plaisir et étant une mangeuse de sucre invétérée, la chose m'aurait semblée plutôt loufoque...Et pourtant! Non seulement, je l'ai écrit ce livre, mais voilà qu'aujourd'hui je vous présente le second avec le plus grand des plaisirs! Qui sait ce que l'avenir nous réserve, n'est-ce pas?

Est-il différent du premier, ce deuxième volume? Voilà une question à laquelle j'aimerais répondre car elle m'est souvent posée. Je répondrai donc ceci: oui et non. Non, en ce sens que la réalisation de ce deuxième livre m'a demandé autant d'amour, de temps, de patience, d'imagination et de disponibilité que le premier. Oui, en ce sens que, l'expérience aidant, j'avoue bien humblement m'être surpassée plus souvent qu'à mon tour... C'est fou d'ailleurs ce que ça fait du bien à l'égo! Mais rassurez-vous, il ne m'étouffe pas encore...Vous en voulez une preuve?

Alors, laissez-moi vous dire ceci: le premier livre a été un grand succès et c'est d'abord et avant tout à vous que je le dois. Je vous en remercie donc du fond du cœur en espérant que celui-ci suivra la même voie...grâce à vous!

Que dire de l'hypoglycémie et du diabète...

Au sein du premier «Sucrez-vous le bec...sans sucre!», j'ai consacré quelques pages à l'hypoglycémie et au diabète, dans le but de donner aux lecteurs un minimum d'informations sur ces sujets. Comme elles se sont avérées fort utiles pour plusieurs, j'ai pensé les donner à nouveau...

«Il n'y a probablement aucune maladie aujourd'hui qui cause une souffrance aussi généralisée, tant de mauvais rendements et de perte de temps, tant d'accidents, tant de foyers brisés et de suicides que l'hypoglycémie».*

L'hypoglycémie se définit comme une diminution ou une insuffisance du taux de glucose (sucre) dans le sang. Nous avons besoin de glucose pour vivre; il est en quelque sorte notre «carburant». En effet, le cerveau n'utilise comme sucre, que le glucose pour arriver à bien fonctionner. Sans lui, rien ne va plus. Alors, me direz-vous, pourquoi ne pas manger de sucre si notre cerveau a besoin de glucose pour bien fonctionner?

Les aliments que nous mangeons peuvent se transformer en glucose; ce dernier est alors transporté par le sang afin que notre système tout entier en bénéficie. Cependant, cette transformation doit toujours s'effectuer lentement. Or donc, il est prouvé que les aliments raffinés, le sucre, la farine blanche et l'alcool se transforment trop rapidement dans le sang, ce qui a pour effet de changer le taux de glucose d'une manière trop rapide également.
Voici ce qui se passe lorsque vous mangez, par exemple, une tablette de chocolat: le taux de sucre monte et monte dans votre sang, ce qui a pour effet de vous donner un

---

* Starenkyj Danièle. *Le mal du sucre.*

surplus d'énergie mais pour une courte durée. En effet, à ce moment-là votre pancréas sécrète de l'insuline qui monte et monte également dans votre sang pour essayer d'abaisser le taux de sucre beaucoup trop élevé. Malheureusement, ce taux d'insuline monte deux ou trois fois plus haut que la normale, car le pancréas, dû à un TROUBLE FONCTIONNEL, ne saisit pas le message qui lui permettrait d'interpréter le taux réel de sucre dans le sang et de diminuer ainsi sa quantité d'insuline. À quoi ce trouble fonctionnel est-il dû? À une faiblesse héréditaire qui se manifeste seule ou qui est appuyée par une mauvaise alimentation; à une mauvaise alimentation ou à un profil psychologique particulier à certaines personnes (excès intellectuels comme excès d'analyse, préoccupations obsessionnelles).

Donc, comme votre taux d'insuline ne cesse de monter, votre taux de sucre dans le sang ne cesse de baisser et c'est le drame: manque d'énergie, migraines, irritabilité, vertiges, etc. Et que faites-vous pour vous sentir mieux? Vous mangez encore une tablette de chocolat ou vous prenez un café et tout recommence...Quel stress pour un système! D'ailleurs, «les docteurs A. Hoffer, Allan Cott, A. Cheraskin et Linus Pauling ont confirmé que la maladie mentale est un mythe et que les désordres émotifs peuvent tout simplement n'être que les premiers symptômes de l'incapacité évidente du système humain à supporter le stress de la dépendance du sucre.»* Selon certains autres, l'hypoglycémie peut même causer la schizophrénie et l'alcoolisme.

Par ailleurs, chez le diabétique, le pancréas fournit un taux d'insuline qui n'est pas suffisant ou qui est mal absorbé par les tissus. Donc, contrairement à l'hypoglycémique qui

* Starenkyj Danièle. *Le mal du sucre.*

possède un pancréas «trop nerveux», nous pourrions dire que le diabétique possède un pancréas «paresseux» et ce, toujours à cause d'un trouble fonctionnel. Cependant, dans les deux cas, le taux de sucre dans le sang devra être étroitement surveillé, mais le diabétique devra être doublement vigilant car il est toujours moins facile d'augmenter l'activité d'un pancréas que de le ralentir.

De plus, il ne devra pas oublier que ses symptômes - troubles oculaires, cardio-vasculaires, rénaux, neurologiques et cutanés - risquent d'être beaucoup plus importants que chez l'hypoglycémique.

Le diabète étant une maladie extrêmement complexe, je n'entrerai pas ici dans les détails médicaux, mon but étant de ne mentionner que le fonctionnement général de cette maladie.

Vous êtes alcoolique?...

L'acoolisme et l'hypoglycémie sont étroitement liés. L'association des hypoglycémiques du Québec croit que les alcooliques sont devenus alcooliques parce qu'ils étaient hypoglycémiques ou qu'ils sont hypoglycémiques à cause de l'abus de l'alcool accompagné d'une mauvaise alimentation.

Lorsque j'ai écrit le premier «Sucrez-vous le bec...sans sucre!», je faisais remarquer aux lecteurs qu'à mon grand étonnement, plusieurs alcooliques actifs ou non actifs ignoraient ce fait. Heureusement, les choses ont évolué et je peux me permettre de dire aujourd'hui que de plus en plus d'alcooliques non actifs recherchent l'information qu'ils se doivent de posséder à ce sujet et que leur vie s'en trouve agréablement changée. Pourquoi? Peut-être ne le savez-vous pas encore...

L'alcool contient énormément de sucre. Donc, lorsqu'un alcoolique boit, son système passe par toutes les phases dont je vous ai parlé dans les pages précédentes consacrées à l'hypoglycémie et le diabète. Si vous voulez bien comprendre les réactions à ces différentes phases, lisez ou relisez bien ces pages en vous disant que l'alcool provoque à peu près les mêmes réactions qu'une tablette de chocolat, vapeur en moins...

Vous comprendrez donc pourquoi il est d'une importance capitale pour un alcoolique non actif de manger des sucres à assimilation moins rapide et de cesser de consommer du café, des cigarettes et des liqueurs douces sucrées comme s'il voulait se transformer en dépanneur du coin...S'il ne le fait pas, il recrée pour son système fragile, le même climat que lorsqu'il buvait...pas étonnant qu'il reste aux prises avec des hauts et des bas, des dépressions et quelquefois même des rechutes...

Il est permis de dire que l'alcoolique est aux prises avec des problèmes d'ordre psychologique. C'est une réalité que nous ne pouvons pas ignorer...mais il serait peut-être temps qu'on mette aussi l'accent sur une autre réalité également importante: les problèmes d'ordre physique.

Le grand ménage

«Comment t'as fait pour arrêter de manger du sucre?» La grande question! Si vous saviez le nombre de fois qu'on me l'a posée...avec à chaque fois ce même air étonné et si plein d'admiration comme si j'avais accompli un exploit extraordinaire... Et pourtant!

Je dois faire ici une mise au point: je n'ai jamais arrêté de manger du sucre.. j'ai arrêté de manger du sucre raffiné et du sucre à assimilation trop rapide, ce qui est extrêmement différent! Je mange encore du sucre aujourd'hui, mais un sucre différent et en quantité acceptable pour le bon fonctionnement de mon organisme. Et la chose est relativement facile à réaliser: il suffit tout simplement de vouloir! Vouloir être plus beau, plus en forme, resplendissant, plein d'énergie constante, de bonne humeur, de joie de vivre...vouloir se donner les moyens de dire adieu à la fatigue, aux rides, aux migraines, au teint vert...Est-ce donc si difficile?

Je dis souvent à des amis ou connaissances: «J'ai arrêté de manger du sucre parce que j'ai eu une excellente raison de le faire: j'étais malade et, comme bien des gens, je ne savais pas pourquoi! Ces sucres étaient néfastes pour ma santé et j'en ai eu la certitude le jour ou je suis allée chercher de l'information à ce sujet. J'ai appris et j'ai agi...».

Naturellement, je dois avouer qu'après la prise de conscience, une bonne dose de détermination est requise quand on veut changer certaines habitudes ancrées...mais moins qu'on pourrait le supposer car on se sent tellement mieux! Et le changement est si vite évident...Bien sûr, les premiers jours on ne se sent pas forcément olé, olé! On a des hauts et des bas, des migraines, quelquefois des étourdissements ou même des nausées, mais tout ça n'est qu'une question de temps. Par contre, on peut et on doit même s'aider en faisant des choses aussi simples que boire de l'eau régulièrement, bien manger et à des heures régulières, éviter les excitants comme le café, l'alcool et le tabac... enfin, toutes ces choses qu'on connaît comme étant les meilleurs amis d'une bonne santé mais qu'on renie si souvent! On les craint car ils sont presque toujours synonymes de vie monotone et ennuyante...Je me demande bien pourquoi car depuis qu'ils occupent une place importante dans ma vie, je m'amuse comme rarement je me suis amusée! Alors, qu'attendez-vous pour les inviter?

Le panier de provisions

Et si on allait faire un tour maintenant du côté de votre garde-manger...Oh la la, mais qu'est-ce que je vois? De la farine d'une drôle de couleur...blanche! mais oui, elle est blanche...Du sucre! Blanc aussi...tout raffiné...le pire de tous les sucres...Du beurre d 'arachide! 0h, ça c'est bon, j'y goûte...Berk! Qu'est-ce qu'ils ont mis là-dedans? Du sel, du sucre, des agents de conservation. Quelle horreur!

Écoutez, ça ne va pas du tout! Si vous voulez faire ces délicieuses recettes, il va falloir aller faire un tour dans un marché d'alimentation en vrac ou dans un magasin d'aliments naturels. On ne peut pas travailler comme ça, c'est beaucoup trop frustrant. On a pas ce qu'il faut! Outillons-nous, grand Dieu! Avant de partir, je nous fais une liste de ce que ça nous prend, d'accord? D'accord...:

Agar-Agar: une algue sans saveur et incolore qui remplace aisément la gélatine commerciale car elle est plus naturelle. Vous la trouverez sous forme de bâtonnets ou de flocons. Je préfère pour ma part les flocons que je trouve plus économiques. Un bâtonnet ou 60 ml (4 t.) de flocons feront prendre 1 l (4 t.) de liquide.

Beurre d'arachide: choisissez-le sans addition de sel ou de sucre et sans additifs chimiques.

Beurre de pomme: concentré fabriqué à partir de jus et de purée de pommes cuites, riche en minéraux et en pectine. Tout comme les fruits séchés, le beurre de pomme est également riche en fructose. Vous devrez donc l'employer en petite quantité. Il est en vente dans la plupart des marchés d'alimentation en vrac mais si vous ne le trouvez pas, demandez qu'une commande soit faite.

Caroube: elle est un substitut du chocolat et du cacao qui sont néfastes pour la santé car ils sont trop excitants et irritants. La caroube comporte 50% de sucres naturels et 7 à 8% de protéines. Elle existe sous forme de poudre et de brisures (capuchons).

Essence d'amande
de fruits (pêche, poire...)
d'érable de noix de coco
de vanille

Farine blanche non blanchie: moins raffinée que la farine blanche ordinaire, elle est moins dommageable pour la santé et peut toujours être remplacée par la farine de blé entier, surtout si vous êtes en début de contrôle.

Farine de blé entier à pâtisserie.

Farine d'avoine ordinaire et à cuisson rapide (gruau)

Fruits en conserve non sucrés: pêches et poires.

Fruits frais: bananes, bleuets, cantaloups, framboises, melon de miel, pêches, poires et pommes.

Fruits séchés (abricots, dattes, raisins): il faut faire attention aux fruits séchés car leur concentration de sucre est élevée. La plupart des recettes de ce livre contiennent une petite quantité de fruits séchés. Par contre, si votre organisme les tolère difficilement, choisissez une recette qui n'en contient pas, coupez-les de moitié ou omettez-les lorsque la recette contient déjà des aliments sucrés comme la caroube, les jus de fruit et les fruits. Vous devrez cependant vous attendre à un goût moins sucré.

Huile de tournesol pressée à froid.

Jus de fruit sans sucre: de pomme et concentré de jus d'orange.

Levure chimique (poudre à pâte): les levures chimiques contiennent des ingrédients dangereux comme la chaux et l'alun et trop de sodium. Dans les marchés d'alimentation en vrac ou naturelle, vous trouverez de la levure chimique **sans alun**, ce qui est plus acceptable. Vous pouvez également faire cette recette:

60 ml (1/4 t.)	de bicarbonate de potassium
125 ml (1/2 t.)	de crème de tartre
125 ml (1/2 t.)	de poudre de marante.

Noix: noisettes, noix de grenoble, pacanes.

Pommes rouges ou jaunes délicieuses: elles sont naturellement plus sucrées qu'une autre pomme. Donc, elles ne développent pas un goût amer ou acide lorsqu'elles sont cuites.

Poudre de marante: employée à la place de la fécule de maïs (corn starch) pour épaissir les liquides. Racine séchée d'une plante tropicale qu'on met en poudre, elle est riche en minéraux et en calcium. On peut, au pis-aller, la remplacer par de la fécule de maïs.

Stevia: le stevia rebaudiana est un arbuste originaire du Paraguay et du Brésil dont les feuilles sont très sucrées. Pour mes recettes j'utilise souvent le stevia sous forme d'herbes pulvérisées que vous retrouverez dans certains marchés d'alimentation en vrac ou naturelle. Si vous ne le trouvez pas, je vous suggère fortement d'insister auprès de ces marchands pour qu'une commande soit passée, car cette herbe est une petite merveille. Cependant, respectez les quantités données si vous ne voulez pas vous retrouver avec certains goûts bizarres...Si vous n'en avez pas sous la main, omettez-le. Attendez-vous par contre à un goût de sucre moins prononçé.

Des endroits à adopter pour une bonne santé...

Il y a quelques années, trouver un marché d'alimentation en vrac ou un magasin d 'alimentation naturelle relevait d'un pur exploit! Aujourd'hui, les villes regorgent de ces établissements et c'est une excellente chose car ils sont des amis précieux; on y retrouve habituellement des aliments sains comme la farine de blé entier, la caroube, les noix ou le beurre de pomme.

Je vous avoue que je fréquente davantage les marchés d'alimentation naturelle EN VRAC car ils offrent des prix souvent plus intéressants que les magasins d'aliments naturels. Je choisis cependant des marchés qui sont rigoureusement hygiéniques.

Lorsque vous visiterez ces endroits, n'hésitez pas à demander certaines informations et à insister pour qu'on commande un produit qu'on ne possède pas. Je sais qu'il est souvent plus difficile de se procurer certains aliments en dehors des grands centres alors, insistez...

...et

maintenant

Sucrez-vous le bec...

sans sucre!

Beigni-beignets

(Beignes à l'érable) *

Vous les adorerez... parole de policier!

Préparation:	15 min.
Cuisson:	10 min.
Attente:	2 heures, de préférence.
Quantité:	20 -24 beignes.

125 ml (1/2 t.) de beurre mou
45 ml (3 c. à soupe) de purée de dattes ou de raisins
*(recette p. 103)**
2 Oeufs

75 ml (1/3 t.) de lait
7 ml (1 1/2 c. à thé) d'essence de vanille
2 ml (1/2 c. à thé) d'essence d'érable

*500 ml (2 t.) de farine blanche non blanchie***
500 ml (2 t.) de farine de blé entier à pâtisserie
12 ml (2 1/2 c. thé) de levure chimique sans
alun (poudre à pâte)
*2 ml (1/2 c. à thé) de stevia**

Huile de tournesol pressée à froid

❦ Dans un grand bol, fouettez bien ensemble le beurre et la purée de dattes avant d'ajouter les oeufs. Fouettez bien à nouveau.

❦ Incorporez le lait, l'essence de vanille et l'essence d'érable. Mélangez bien le tout.

Dans un bol moyen, mélangez la farine, la levure chimique et le stevia. Incorporez ces ingrédients secs aux ingrédients humides et remuez bien jusqu'à ce qu'une boule se forme, ferme mais non dure. Recouvrez-la d'un linge humide et réfrigérez-la, de préférence 2 heures.

Sur une surface enfarinée, abaissez la pâte à 12 mm (1/2 po) d'épaisseur. Découpez-la avec un emporte-pièce.

Faites chauffer l'huile à 180°C (350°F) et plongez-y la pâte, environ 1 minute de chaque côté. Si la pâte brunit instantanément, c'est que l'huile est trop chaude. Abaissez donc la température car les beignes brûleront plus qu'ils ne cuiront et deviendront secs en refroidissant. La pâte doit dorer et non brunir.

Déposez les beignes cuits sur un papier absorbant et plongez une surface de chaque beigne dans ce glaçage:

30 ml (2 c. à soupe) de beurre
125 ml (1/2 t.) de crème à 35%
75 ml (1/3 t.) de lait
15 ml (1 c. à soupe) de beurre de pomme ou purée de dattes
*5 ml (1 c. à thé) de poudre de marante **ou fécule de maïs*
*1 ml (1/4 c. à thé) de stevia***
2 ml (1/2 c. à thé) d'essence d'érable

Mélangez bien tous les ingrédients, au fouet de préférence. Amenez le mélange au point d'ébullition et faites-le cuire 1 minute en fouettant constamment. Retirez-le de la source de chaleur avant d'y plonger les beignes.

NOTE: Gardez les beignes glacés au réfrigérateur, dans un sac en papier ou tout autre contenant qui ne conserve pas d'humidité. Évitez les sacs en plastique.

---

* Voir «fruits séchés» dans le panier de provisions p. 13

** Pour plus de détails voir le panier de provisions au début du livre.

Biscuits pour «Justin les baskets»

Où es-tu, petit Justin? Que fais-tu, petit taquin?
Ta venue, c'est pour demain?
Chouette alors, on sera si bien...

Préparation:	10 min.
Cuisson:	15 min.
Attente:	10 min.
Quantité:	10-12 biscuits (pommes, granola et muesli)

75 ml (1/3 t.) de dattes dénoyautées hachées
60 ml (1/4 t.) de raisins secs
250 ml (1 t.) d'eau ou de jus de pomme bouillant

125 ml (1/2 t.) de beurre mou
1 Oeuf (gros)
150 ml (2/3 t.) de farine de blé à pâtisserie
*150 ml (2/3 t.) de farine blanche non blanchie**
*7 ml (1 1/2 c. à thé) de levure chimique sans alun * (poudre à pâte)*
*2 ml (1/2 c. à thé) de stevia**
1 ml (1/4 c. à thé) de cannelle moulue
1 ml (1/4 c. à thé) de muscade moulue
Un soupçon de clou de girofle moulu

*2 Pommes rouges ou jaunes délicieuses râpées**
*150 ml (2/3 t.) de céréales granola non sucrées ou sucrées au jus de fruits***
*250 ml (1 t.) de muesli ou d'avoine à cuisson rapide****

❦ Plongez les dattes et les raisins dans l'eau ou jus bouillant et laissez-les en attente 10 minutes. Passez-les au mélangeur électrique en conservant le liquide.

❦ Dans un grand bol, mélangez bien le beurre et l'oeuf. Ajoutez la purée de dattes et de raisins, la farine, la levure chimique, le stevia et les épices. Mélangez le tout délicatement. Ajoutez les pommes râpées, les céréales granola et le muesli. Remuez délicatement encore une fois.

❦ Déposez la pâte sur une plaque à biscuits beurrée en employant 30 ml (2 c. à soupe) du mélange à la fois. Façonnez des biscuits de 8 cm (3po) de diamètre X 6 mm (1/4 po) d'épaisseur.

❦ Faites cuire à 180°C (350°F) 15 minutes.

---

* Pour plus de détails, voir le panier de provisions au début du livre-.

** Vous trouverez ces céréales dans la plupart des marchés d'alimentation en vrac. N'hésitez pas à en faire la demande s'ils n'en ont pas car elles sont savoureuses avec du lait au petit déjeuner.

*** Voir recette p. 81. Vous pouvez également acheter le muesli dans la plupart des marchés d'alimentation en vrac ou dans les magasins d'aliments naturels.

Biscuits pour l'ennui de Sophie

(pacanes et brisures de caroube)

On a le cœur si fragile quand s'installe une peine... mais le sourire tellement plus facile quand une amie nous aime...

Préparation:	15 min.
Cuisson:	15 min.
Attente:	10 min.
Quantité:	12-15 biscuits

75 ml (1/3 t) d'eau bouillante
50 ml (1/4 t) de raisins secs

125 ml (1/2 t.) de beurre mou
1 Oeuf
2 ml (1/4 c. à thé) d'essence d'érable ou de vanille

325 ml (1 1/3 t.) de farine de blé entier à pâtisserie
*5 ml (1 c. à thé) de levure chimique sans alun (poudre à pâte)**
30 ml (2 c. à soupe) de germe de blé

125 ml (1/2 t.) de pacanes ou de noix de grenoble hachées
*125 ml(1/2 t.) de brisures de caroube**

❦ Laissez reposer les raisins dans l'eau bouillante une dizaine de minutes. Passez-les au mélangeur électrique (blender).

❦ Dans un grand bol, fouettez le beurre, l'oeuf et l'essence de vanille ou d'érable. Ajoutez le mélange d'eau et de raisins et fouettez à nouveau.

❦ Tamisez la farine de blé et la levure chimique au-dessus du mélange humide et remuez le tout délicatement à l'aide d'une spatule. Ajoutez le germe de blé, les noix et les brisures de caroube et remuez à nouveau. Formez une boule avec la pâte et de préférence, faites-la réfrigérer pendant une demi-heure.

❦ Beurrez et enfarinez une plaque à biscuits. Prenez 30 ml (2 c. à soupe) de la pâte à la fois et pressez-la sur la plaque avec une fourchette. Faites cuire à 350°F (180°C) environ 15 minutes et laissez refroidir sur une grille.

---

* Pour plus de détails, voir le panier de provisions au début du livre.

Biscuits pour les adultes sages

(avoine, noix et raisins)

Enlevez vos pattes de là! J'ai dit: «Biscuits pour les adultes sages!...»

Préparation:	10 min.
Cuisson:	12 min.
Attente:	aucune
Quantité:	12 Biscuits

75 ml (1/3 t.) de beurre ramolli
60 ml (1/4 t.) de purée de raisins(recette p. 104)
30 ml (2 c. à soupe) d'eau

1 Oeuf (petit)
5 ml (1 c. à thé) d'essence de vanille

*175 ml (3/4 t.) de farine d'avoine**
310 ml (1 1/4 t.) d'avoine ordinaire (gruau)
*2 ml (1/2 c. à thé) de levure chimique sans alun (poudre à pâte)***
1 ml (1/4 c. à thé) de cannelle moulue

30 ml (2 c. à soupe) de raisins secs
*30 ml (2 c. à soupe) de brisures de caroube***
30 ml (2 c. à soupe) de pacanes ou noix de grenoble émiettées

Fouettez le beurre, la purée de raisins et l'eau. Ajoutez l'oeuf et l'essence de vanille et fouettez à nouveau.

❦ Dans un bol moyen mélangez bien la farine d'avoine, l'avoine, la levure et la cannelle. Incorporez le tout à la préparation humide et remuez délicatement à l'aide d'une spatule.

❦ Incorporez les raisins, les brisures de caroube et les noix. Remuez délicatement à nouveau.

❦ Déposez 30 ml (2 c. à soupe) du mélange à la fois, sur une plaque à biscuits. Aplatissez chaque boule de pâte de façon à obtenir des biscuits de 1 cm (3 po) de diamètre. Faites-les cuire 12 minutes à 180°C (350°F).

---

* Passez des flocons d'avoine ordinaires (gruau) au mélangeur électrique.

** Pour plus de détails, voir le panier de provisions au début du livre.

Bouchées d'amour

(macarons à la noix de coco)

Tant qu'à compenser...

Préparation:	5 min.
Cuisson:	30 min.
Attente:	15 min.
Quantité:	18 bouchées

500 ml (2 t.) de noix de coco râpée non sucrée
45 ml (3. c. à soupe) de beurre de pomme ou de purée de dattes (recette p. 103)*

2 Blancs d'oeufs
45 ml (3 c. à soupe) d'eau

- Dans une casserole moyenne, mélangez parfaitement la noix de coco et le beurre de pomme ou la purée de dattes. Posez la casserole sur un feu moyen et remuez le mélange assez souvent pendant 5 minutes.

- Retirez la casserole du feu et ajoutez les blancs d'oeufs un à un en brassant vigoureusement entre chaque addition. Reposez la casserole sur le feu et rebrassez le mélange assez souvent pendant 5 minutes. Retirez de la source de chaleur, ajoutez l'eau et faites refroidir le tout au réfrigérateur pendant 15 minutes.

- Beurrez une plaque à biscuits. En vous servant de vos doigts et du creux de votre paume, formez 18 boules. Pressez légèrement le dessus de chacune d'elles et déposez-les sur la plaque beurrée. Faites-les cuire 30 minutes à 170°C (300°F).

---

* Pour plus de détails voir le panier de provisions p. 13

Brioches en fleur

***Je me suis promenée au jardin de ton coeur...
j'y ai cueilli ces fleurs...***

Préparation:	35 min
Cuisson:	30 min
Attente:	1-2 heures
Quantité:	8 brioches

125 ml (1/2 t.) de lait très chaud
30 ml (2 c. à soupe) de beurre mou
45 ml (3 c. à soupe) de raisins secs
1 ml (1/4 c. à thé) de stevia (facultatif)*

30 ml (2 c. à soupe) d'eau tiède
7 ml (1/2 c. à soupe) de levure active
1 ml (1/4 c. à thé) de miel ou de purée de raisins ou dattes (recette p. 103)
1 Oeuf battu
300 ml (1 1/4 t.) de farine de blé entier à pain (approximatif)
*125 ml (1/2 t.) de farine blanche non blanchie**

Garniture:

*4 Pommes rouges ou jaunes délicieuses pelées et tranchées**
15 ml (1 c. à soupe) d'eau
15 ml (1 c. à soupe) de beurre de pomme ou purée de dattes (recette p.103)*
125 ml (1/2 t.) de noix de grenoble ou pacanes hachées
Cannelle
Noisettes de beurre

❦ Faites chauffer le lait dans une petite casserole ou dans le micro-ondes. Ajoutez les raisins et laissez au chaud 3-4 minutes. Retirez de la source de chaleur et ajoutez le beurre et le stevia. Passez le tout au mélangeur électrique.

❦ Dans un petit bol, mélangez l'eau tiède et le miel. Saupoudrez la levure sur le dessus et laissez en attente 10 minutes.

❦ Transvidez le mélange de lait et de raisins dans un grand bol et incorporez la levure. Mélangez bien. Ajoutez l'oeuf et la moitié de la farine et fouettez énergiquement le mélange pendant 30 secondes ou plus. Incorporez le reste de la farine pour former une boule qui ne soit pas trop collante. Au besoin, ajoutez de la farine graduellement. Pétrissez la pate de 5 à 10 minutes. Huilez un grand bol et tournez la pâte dedans afin qu'elle soit bien huilée de tous côtés. Recouvrez le bol d'un linge humide et laissez la pâte fermenter au double de son volume (environ 1 heure).

❦ Pétrissez la pâte 1 minute et laissez-la lever une deuxième fois si le temps vous le permet.

❦ Dans une petite casserole ou au micro-ondes, faites mijoter l'eau et les pommes jusqu'à ce qu'elles soient tendres. Une fois cuites, écrasez-les grossièrement avec un pilon ou une fourchette. Veillez à ce que la purée ne soit pas trop liquide.

❦ Abaissez la pâte sur une planche non ou peu enfarinée, en un rectangle de 30 cm X 20 cm (12 po X 8 po). Étalez le beurre de pomme ou la purée de dattes uniformément sur l'abaisse, saupoudrez-la légèrement de cannelle et nappez-la de la purée de pommes. Parsemez le tout de noisettes de beurre et ajoutez les noix de grenoble ou les pacanes hachées.

❦ Roulez la pâte dans le sens de la largeur afin d'obtenir un rouleau de 30 cm (12 po) de long X 6 cm (2 1/2 po) de diamètre. Tranchez le rouleau en 8 morceaux égaux et disposez ces morceaux, têtes coupées sur le dessus, dans un moule rond de 22 cm (9 po). Couvrez le moule et laissez lever la pâte environ 1 heure.

❦ Faites cuire 30 minutes à 180°C (350°F).

Brioches aux pommes et au fromage

❦ Ajoutez 250 ml (1 t.) de fromage cheddar moyen à la garniture de la recette précédente en omettant les noix de grenoble et la cannelle.

Brioches aux bleuets

❦ Remplacez les pommes cuites de la recette «brioches en fleur» par des bleuets frais. Remplacez les noix de grenoble par des amandes effilées et la cannelle par de la muscade.

---

* Pour plus de détail, voir le panier de provisions au début du livre.

Brownies gourmands

La gourmandise, un des sept péchés capitaux...Vous venez tout juste de transgresser la loi divine! Sceptique? Confondez-vous en cherchant le mot «péché» dans le dictionnaire Larousse...

Préparation:	10 min.
Cuisson:	12 min.
Attente:	aucune
Quantité:	9-12 carrés

175 ml (3/4 t.) de brisures de caroube non sucrée
75 ml (1/3 t.) de beurre d'arachide crémeux, naturel (sans sucre ni sel ajoutés)
60 ml (1/4 t.) de beurre

2 Oeufs
45 ml (3 c. à soupe) d'eau
15 ml (1 c. à soupe) de beurre de pomme ou purée de raisins ou dattes (recette p. 103)*
5 ml (1 c. à thé) d'essence de vanille

125 ml (1/2 t. de farine de blé entier à pâtisserie
*2 ml (1/2 c. à thé) de levure chimique sans alun (poudre à pâte)***
60 ml (1/4 t.) d'arachides sans sel et sans pelure
75 ml (1/3 t.) de raisins secs sultana

*75 ml (1/3 t.) d'arachides sans sel et sans pelure, émiettées****

❦ À feu très doux, faites fondre la caroube, le beurre d'arachide et le beurre. Vous pouvez également effectuer cette opération au micro-onde: faites cuire le tout 1 minute à ÉLEVÉ et brassez jusqu'à ce que le mélange soit lisse.

❦ Ajoutez les oeufs un à un en brassant bien entre chaque addition. Ajoutez ensuite l'eau, le beurre de pomme et l'essence de vanille. Remuez bien.

❦ Tamisez la farine et la levure chimique au-dessus de la préparation et remuez délicatement. Ajoutez les arachides entières et remuez à nouveau.

❦ Versez le mélange dans un moule beurré de 20 cm X 20 cm (8 po x 8 po). Saupoudrez le dessus des arachides émiettées et faites cuire à 190°C (375°F) 15 minutes. Ne faites pas trop cuire les brownies qui doivent toujours avoir une texture humide pour être savoureux. S'ils sont secs le lendemain c'est qu'ils sont trop cuits.

---

* Pour plus de détails, voir le panier de provisions au début du livre.

** Omettez-les si vous ne pouvez vous le permettre ou diminuez la quantité.

*** Mettez-les dans un sac en plastique et passez le rouleau à pâte dessus.

Carrés de soleil

Mille et un soleils vous transporteront
sur des hauteurs nappées de désirs...
Et, croyez-moi, ce sera... beau et chaud!..

Préparation:	20 min.
Cuisson:	30 min.
Attente:	aucune
Quantité:	9-12 carrés

*75 ml (1/3 t.) de dattes dénoyautées**
*75 ml (1/3 t.) de raisins secs**
175 ml (3/4 t.) d'eau

250 ml (1 t.) de farine de blé entier à pâtisserie
*2 ml (1/2 c. à thé) de levure chimique (poudre à pâte) sans alun***
1 ml (1/4 c. à thé) de stevia (facultatif)
125 ml (1/2 t.) de beurre
15 ml (1 c. à soupe) de lait
1/2 Oeuf (garder l'autre moitié)

1 Oeuf
250 ml (1 t.) de noix de coco râpée non sucrée
175 ml (3/4 t.) de noix de grenoble hachées
5 ml (1 c. à thé) de vanille
2 ml (1/2 c. à thé) d'essence de noix de coco (facultatif)
15 ml (1 c. à soupe) de beurre fondu

À feu doux ou au micro-ondes, faites mijoter les dattes, les raisins et l'eau une dizaine de minutes et passez-les au mélangeur électrique (blender). Ne les broyez que 3 ou 4 secondes afin de ne pas trop liquéfier le mélange.

❦ Dans un bol moyen, mélangez bien la farine de blé, la levure chimique et le stevia. Ajoutez le beurre, et à l'aide de deux couteaux ou d'une fourchette, mélangez bien le tout, un peu comme vous le feriez pour une pâte à tarte. Ajoutez le lait et la moitié d'oeuf. Formez une boule et, en vous aidant de vos mains, pressez-la uniformément dans un moule carré beurré de 20 cm X 20 cm (8 po X 8 po).

❦ À la préparation de dattes et de raisins, ajoutez le reste des ingrédients et la moitié d'oeuf que vous avez conservée. Étendez le tout sur la pâte et faites cuire 30 minutes à 190°C (375°F). Coupez en carrés.

---

* Voir «fruits séchés» p. 14

** Pour plus de renseignements, voir le panier de provisions au début du livre.

Carrés Pélo

C'est pas physique, c'est électrique!...

Préparation:	25 min.
Cuisson:	30 min.
Attente:	aucune
Quantité	9-12 carrés

*375 ml (1 1/2 t.) de dattes dénoyautées**
175 ml (3/4 t.) d'eau
5 ml (1 c. à thé) d'essence de vanille
2 ml (1/2 c. à thé) d'essence d 'amande
60 ml (1/4 t.) d'amandes effilées

105 ml (7 c. à soupe) de beurre mou
2 Jaunes d'oeufs (conservez les blancs)
5 ml (1 c. à thé) d'essence de vanille
0.5 ml (1/8 c. à thé) d'essence d 'amande
375 ml (1 1/2 t.) de farine de blé entier à pâtisserie
5 ml (1 c. à thé) de levure chimique sans alun
*(poudre à pâte)***

2 Blancs d'oeufs
30 ml (2 c. à soupe) de purée de dattes (recette p. 103)
0.5 ml(1/8 c. à thé) d'essence d'amande
60 ml (1/4 t.) d'amandes effilées

Dans une casserole moyenne et à découvert, faites mijoter les dattes et l'eau 7 minutes ou jusqu 'à ce que le mélange devienne crémeux en le brassant. Retirez la casserole du feu et ajoutez les essences de vanille et d'amande en brassant fortement. Conservez 30 ml (2 c. à soupe) du mélange et ajoutez les amandes. Remuez bien.

❦ Dans un bol moyen, fouettez le beurre mou et les jaunes d'oeufs jusqu'à ce que le mélange soit bien lisse. Ajoutez les essences de vanille et d'amande et brassez. Tamisez la farine et la levure chimique au dessus de ce mélange et remuez bien la préparation jusqu'à ce qu'une boule se forme.

❦ À l'aide de vos doigts, étendez cette pâte dans le fond d'un moule beurré de 20 cm X 20 cm (8 po X 8 po). Versez-y la préparation de dattes.

❦ Dans un bol en verre, montez les blancs d'oeufs en neige ferme. Lorsqu'ils le sont, ajoutez la purée de dattes réservée et l'essence d'amande. Battez de nouveau afin de bien mélanger le tout. Étendez cette meringue uniformément sur les dattes et saupoudrez des amandes effilées.

❦ Faites cuire 30 minutes à 190°C (375°F) sur la grille du bas et 15 minutes de plus à 180C à (325°F).

---

* Voir «fruits séchés» p. 14

** Pour plus de détails, voir le panier de provisions au début du livre.

Carrés surprise pour Gisèle

Un présent pour ma tendre Gisèle que j'ai voulu aussi doux qu'elle...

Préparation:	30 min.
Cuisson:	20 min.
Attente:	aucune
Quantité:	9-12 carrés

250 ml (1 t.) de farine de blé entier à pâtisserie
*2 ml (1/2 c. à thé) de levure chimique sans alun (poudre à pâte)**
*2 ml (1/2 c. à thé) de stevia**
125 ml (1/2 t.) de beurre
15 ml (1 c. à soupe) de lait
1/2 Oeuf

*125 ml (1/2 t.) de jus d'ananas non sucré***
4 dattes dénoyautées
45 ml (3 c. à soupe) de beurre
5 ml (1 c. à thé) de poudre de marante ou fécule de maïs*
30 ml (2 c. à soupe) de crème 35%
2 ml (1/2 c. à thé) d'essence de rhum (facultatif)

250 ml (1 t.) de crème 35%
540 ml 1 1/8 t.) de morceaux d'ananas non sucrés en boîte
5 ml (1 c. à thé) de vanille
*Une pincée de stevia**

Dans un bol moyen, mélangez bien la farine, la levure chimique et le stevia. Ajoutez le beurre et à l'aide d'une fourchette, mélangez bien le tout, un peu comme vous le feriez pour une pâte à tarte. Ajoutez la moitié d'oeuf et le lait. En vous aidant de vos mains, formez une boule et pressez-la dans un moule carré beurré de 20 cm X 20 cm (8 po X 8 po). Faites cuire à 375°F (190°C) 20 minutes. Laissez refroidir à même le moule.

❦ Pendant ce temps, faites chauffer le jus d'ananas et les dattes dans un poêlon. Laissez mijoter 1 minute et passez le tout au mélangeur électrique (blender). Transvidez le mélange dans le poêlon et ajoutez le beurre et la poudre de marante. Laissez mijoter à feu doux 2-3 minutes en fouettant constamment. Ajoutez la crème et le stevia et fouettez à nouveau. Nappez la pâte refroidie de cette sauce.

❦ Dans un grand bol, fouettez la crème, la vanille et le stevia. Lorsque la crème est bien ferme, ajoutez les morceaux d'ananas bien égouttés et remuez bien le tout. Recouvrez la pâte et la sauce refroidies de ce mélange et de préférence, réfrigérez quelque temps avant de servir.

---

* Pour plus de détails, voir le panier de provisions au début du livre.
** Conservez le jus de la boîte d'ananas.

Compote de pommes maison

Merci, Ève!...

Préparation:	10 min.
Cuisson:	15 min.
Attente:	aucune
Quantité:	250 ml(1 t.)

*4 Pommes rouges ou jaunes délicieuses de grosseur moyenne**
30 ml (2 c. à soupe) d'eau

❦ Pelez et coupez les pommes en tranches. Faites-les mijoter à feu doux et à couvert une quinzaine de minutes, ou jusqu'à ce qu'elles soient tendres.

❦ Lorsqu'elles le sont, retirez-les du feu et mesurez leur liquide de cuisson. Vous devriez en avoir au moins 60 ml (1/4 t.). Si ça n'est pas le cas, ajoutez un peu d'eau.

❦ Écrasez les pommes avec un pilon et ajoutez 45-60 ml (3-4 c. à soupe) du liquide de cuisson. N'oubliez pas que la compote épaissira en refroidissant.

❦ Si par contre, vous désirez une compote plus lisse, plus crémeuse, passez-la au mélangeur électrique avec environ 30 ml (2 c. à soupe) du liquide de cuisson. Ne la liquéfiez pas trop car vous pourrez toujours le faire en temps voulu selon l'usage que vous voudrez en faire.

---

* Voir «pommes rouges ou jaunes délicieuses» à la p. 15

Couronne d'été

Quelles têtes elle leur fera!...

Préparation:	**25 min.**
Cuisson:	**1 heure**
Attente:	**Aucune**
Quantité:	**6 portions**

4 Blancs d'oeufs
*20 ml (4 c. à thé) de poudre de caroube**
*1 ml (1/4 c. à thé) de stevia**
3 ml (3/4 c. à thé) de poudre de marante ou fécule de maïs*
1 ml (1/4 c. à thé) de vinaigre blanc
1 ml (1/4 c. à thé) de vanille

250 ml (1 t.) de crème 35%
5 ml (1 c. à thé) de beurre de pomme ou purée de raisins ou dattes (recette p. 103)*
*10 ml (2 c. à thé) de poudre de caroube**
5 ml (1 c. à thé) de vanille

Bananes, fraises et pêche

- Dans un grand bol en verre, montez les blancs d'oeufs en neige ferme. Ajoutez la poudre de caroube, le stevia, la poudre de marante, le vinaigre et la vanille. A l'aide d'un fouet, mélangez bien le tout.

- Tracez un cercle de 23 cm (9 po) de diamètre sur le côté non ciré d'une feuille de papier ciré. Retournez la feuille sur une plaque à biscuits et étendez la meringue à l'intérieur de ce cercle. Étalez-la jusqu'à (1/4 po) du bord du cercle en ayant soin de faire les bords légèrement plus élevés que le centre.

❦ Faites cuire la meringue à 150°C (300°F) 1 heure. Faites-la tiédir et enlevez la feuille de papier ciré. Lorsqu'elle est froide, retournez- la dans une assiette de service.

❦ Battez la crème et la vanille. Lorsqu'elle est sur 1e point de devenir bien ferme, ajoutez le beurre de pomme et la poudre de caroube et battez-la jusqu 'à ce qu'elle le soit.

❦ Étalez la crème sur le dessus de la meringue et garnissez-la des fruits coupés et bien égouttés.

---

* Pour plus de détails, voir le panier de provisions au début du livre.

Crème anglaise

Si on l'appelait 101?...

Préparation:	5 min.
Cuisson:	10 min.
Attente:	Aucune
Quantité:	250 ml (1 t.)

250 ml (1 t.) de lait
3 Gros jaunes d'oeufs
*30 ml (2 c. à soupe) de beurre de pomme**
ou
45 ml (3 c. à soupe) de purée de dattes ou de raisins (recette p. 103)
5 ml (1 c. à thé) d'essence de vanille
ou
*1 ml (1/4 c. à thé) d'essence de rhum ou de fruit ou d'érable***

- Faites chauffer le lait dans une casserole à feu moyen. Quand il commence à frémir, retirez-le du feu.
- Dans un bol moyen, battez les oeufs avec le beurre de pomme ou la purée de dattes ou de raisins. Ajoutez le lait chaud, remuez bien et transvidez le tout dans un bain-marie ou une casserole à fond épais.
- Faites cuire la sauce au-dessus de l'eau bouillante ou à feu moyen une dizaine de minutes en évitant de la faire bouillir. Tournez-la pendant toute la durée de l'opération, jusqu'à ce qu'elle épaississe et qu'elle puisse napper le dos de la cuillère.

❦ Servez-la chaude de préférence avec le gâteau ou le pouding de votre choix.

---

* Pour plus de détails, voir «beurre de pomme» à la p. 13

** Choisissez l'essence en fonction du dessert avec lequel vous désirez servir la sauce.

Des crèmes glacées à faire valser...

Les crèmes glacées sont riches en plaisir, en douceur et en bonheur apportés, mais elles le sont également en gras et en calories retrouvées. Donc, faites-vous plaisir mais... de temps en temps, seulement...

Crème glacée à la vanille

Préparation:	5 min.
Cuisson:	Aucune
Attente:	20-40 min.
Quantité:	500 ml (2 t.)

30 ml (2 c. à soupe) de beurre de pomme ou purée de raisins ou de dattes (recette p. 103)*
*1 ml (1/4 c. à thé) de stevia**
10 ml (2 c. à thé) d'essence de vanille
250 ml (1 t.) de crème à 35%
250 ml (1 t.) de crème à 15%

Dans le bol de votre appareil à crème glacée, fouettez le beurre de pomme, le stevia et l'essence de vanille. Ajoutez graduellement la crème en fouettant constamment. Barattez selon les instructions du manufacturier.

---

* Pour plus de détails, voir le panier de provisions au début du livre.

Crème glacée à la caroube et au beurre d'arachide

Préparation:	10 min.
Cuisson:	Aucune
Attente:	20-40 min.
Quantité:	500 ml (2 t.)

75 ml (1/3 t.) de beurre d'arachide naturel (sans sucre ni sel ajouté)
30 ml (2 c. à soupe) de beurre de pomme ou purée de raisins ou de dattes (recette p. 103)*
*1 ml (1/4 c. à thé) de stevia**
5 ml (1 c. à thé) d'essence de vanille
250 ml (1 t.) de crème à 35%
250 ml (1 t.) de crème à 15%
125 ml (1/2 t.) de brisures de caroube non sucrée

Dans le bol de votre appareil à crème glacée, fouettez bien le beurre d'arachide que vous aurez préalablement fait ramollir au micro-ondes ou au bain-marie. Ajoutez le beurre de pomme, le stevia et l'essence de vanille et fouettez à nouveau. Ajoutez graduellement la crème en brassant constamment. Lorsque la crème commence à raffermir, ajoutez les brisures de caroube. Barattez selon les instructions du manufacturier.

---

* Pour plus de détails, voir le panier de provisions au début du livre.

Crème glacée à la caroube et à la menthe

❦ Suivez les instructions pour la crème glacée à la vanille mais remplacez la vanille par 5 ml (1 c. à thé) d'essence de menthe. Lorsque la crème commence à devenir ferme, ajoutez 125 ml (1/2t.) de brisures de caroube non sucrée.*

Crème glacée à la noix de coco

❦ Suivez les instructions pour la crème glacée à la vanille (recette p. 46) mais remplacez l'essence de vanille par 5 ml (1 c. à thé) d'essence de noix de coco. Lorsque la crème commence à raffermir, ajoutez 125 ml (1/2 t.) de noix de coco non sucrée.

NOTE: Si votre crème glacée devient très dure au réfrigérateur, sortez-la 5 minutes avant de la servir. Vous pourrez sans problème la replacer au congélateur. Servez-vous également d'une cuillère passée sous l'eau chaude pour la servir.

Crème glacée aux abricots et aux amandes

Préparation: 15 min.
Cuisson: Aucune
Attente: 20-40 min.
Quantité: 500 ml (2 t)

*8 abricots séchés**
Eau de cuisson
1 ml (1/4 c. à thé) de stevia **
5 ml (1 c. à thé) d'essence de pêche ou de vanille
250 ml (1 t.) de crème à 35%
250 ml (1 t.) de crème à 15%
125 ml (1/2 t.) d'amandes effilées

- Mettez les abricots dans une petite casserole et recouvrez-les d'eau. Faites-les cuire, à couvert, une dizaine de minutes. Passez-les au mélangeur électrique avec juste assez d'eau de cuisson pour obtenir une purée ni trop ferme, ni trop liquide.
- Mettez la purée dans le bol de votre appareil à crème glacée et fouettez-la en ajoutant le stevia et l'essence de pêche ou la vanille. Incorporez la crème graduellement en fouettant toujours le mélange. Barattez selon les instructions du fabricant de votre appareil. Lorsque la crème commence à épaissir, ajoutez les amandes effilées.

NOTE: Si la crème glacée devient très dure au congélateur, sortez-la 5 minutes avant de la servir et servez-vous d'une cuillère passée sous l'eau chaude pour la prendre. Vous pourrez aisément la replacer au congélateur, l'opération terminée.

---

* Voir «fruits séchés» à la p. 14
** Voir «stevia» à la p. 16

Crème glacée aux ananas

Préparation:	5 min.
Cuisson:	Aucune
Attente:	20-40 min.
Quantité:	500 ml (2 t.)

250 ml (1 t.) d'ananas frais ou broyés en boîte

250 ml (1 t.) de crème à 35%
250 ml (1 t.) de crème à 15%
*1 ml (1/4 c. à thé) de stevia**
5 ml (1 c. à thé) d'essence de vanille

125 ml (1/2 t.) de noix de grenoble émiettées

- Broyez et/ou égouttez bien les ananas. Mettez-les de côté.
- Dans le bol de votre appareil à crème glacée, fouettez bien la crème, le stevia et l'essence de vanille. Barattez selon les instructions du fabricant.
- Lorsque la crème commence à épaissir, ajoutez les ananas et les noix.

Crème glacée aux brisures de caroube

- Suivez les instructions pour la crème glacée à la vanille (recette p. 46) Lorsque la crème commence à épaissir, ajoutez 125 ml (1/2 t.) de brisures de caroube*.

---

* Pour plus de détails, voir le panier de provisions au début du livre.

Crème glacée aux figues et aux amandes

Préparation:	**15 min.**
Cuisson:	**Aucune**
Attente:	**20-40 min.**
Quantité:	**500 ml (2 t.)**

6 Figues
60 ml (1/4 t.) d'eau

*1 ml (1/4 c. à thé) de stevia**
1 ml (1/4 c. à thé) d'essence d'amande
250 ml (1 t.) de crème à 35%
250 ml (1 t.) de crème à 15%

*125 ml (1/2 t.) d'amandes hachées***

❦ Faites mijoter les figues et l'eau à couvert et à feu doux une quinzaine de minutes. Passez-les au mélangeur électrique avec juste assez d'eau (environ 60 ml-1/4 t.) pour obtenir une purée.

❦ Mettez la purée de figue dans le bol de votre appareil à crème glacée et fouettez-la en ajoutant le stevia et l'essence d'amande. Incorporez la crème graduellement en fouettant toujours le mélange. Barattez selon les instructions du fabricant de votre appareil. Lorsque la crème commence à épaissir, ajoutez les amandes hachées.

---

* Pour plus de détails, voir «stevia» à la p. 16

** Cette crème glacée est meilleure avec des amandes hachées et non pas effilées. Vous obtiendrez des amandes hachées en les mettant dans un sac en plastique et en passant le rouleau à pâte dessus.

Crêpes «Bonnes comme toi»

(crêpes aux pommes)

Ben... Peut-être pas tant qu'ça finalement...

Préparation:	10 min.
Cuisson totale:	12 min.
Attente:	Aucune
Quantité:	3-6 crêpes

175 ml (3/4 t.) de farine de blé entier à pâtisserie
15 ml (1 c. à soupe) de levure chimique sans alun
*(poudre à pâte)**

15 ml (1 c à soupe) de beurre de pomme ou purée de raisins ou de dattes (recette p. 103)*
175 ml (3/4 t.) de lait
2 Oeufs petits
15 ml (1 c. à soupe) de beurre fondu

375 ml (1 1/2 t.) de pommes pelées et coupées en petits dés

- Dans un bol moyen, mélangez bien la farine et la levure chimique.

- Dans un autre bol, mélangez bien le beurre de pomme et le lait en ajoutant ce dernier graduellement. Incorporez les oeufs et le beurre fondu en fouettant le mélange.

- Incorporez le mélange liquide aux ingrédients secs et battez énergiquement jusqu'à ce que la pâte soit lisse et homogène. Ajoutez les pommes et faites cuire immédiatement.

Mode de cuisson: Versez 60 ml (1/4 t.) du mélange dans une poêle anti-adhésive de 15 cm (6 po) posée sur un feu assez vif. Étalez bien le mélange même si la quantité vous semble petite car la crêpe gonflera considérablement pendant la cuisson. D'ailleurs, respectez bien les quantités et grandeur de poêle données si vous désirez obtenir de bons résultats. Vous pouvez toujours doubler la quantité de pâte et vous servir d'une poêle de 30 cm (12 po) mais je préfère, pour ma part, les petites crêpes. Faites-les cuire 45 sec. d'un côté et 30 sec. de l'autre. Servez-les avec une sauce au pommes aromatisée d'essence d'érable (recette p. 114)

---

* Pour plus de détails, voir le panier de provisions au début du livre.

Crêpes «Bonne journée!»

Écoutez-moi bien les fumeurs, les pressés et les «buveux» de café: «Vous savez pas c'que vous manqué!»...

Préparation:	10 min.
Cuisson totale:	6-12 min.
Attente:	Aucune
Quantité:	8 petites crêpes ou 4 grosses

*15 ml (1 c. à soupe) de beurre de pomme * ou de purée de raisins ou de dattes(recette p. 103)*
250 ml (1 t.) de lait
75 ml (1/3 t.) d'eau
5 ml (1 c. à thé) de vanille
2 Oeufs
15 ml (1 c. à soupe) de beurre fondu ou d'huile de tournesol pressée à froid

*150 ml (2/3 t.) de farine d'avoine moulue (gruau ordinaire)***
125 ml (1/2 t.) de farine de blé à pâtisserie
22 ml (1 1/2 c. à soupe) de farine de maïs
*2 ml (1/2 c. à thé) de levure chimique sans alun (poudre à pâte)**

- Dans un bol moyen, ajoutez graduellement le lait au beurre de pomme en fouettant bien afin de rendre le tout homogène. Ajoutez l'eau, la vanille, les oeufs et le beurre fondu ou l'huile en fouettant de nouveau.

❦ Tamisez les ingrédients secs au-dessus du mélange humide et continuez à fouetter la préparation jusqu'à ce qu'elle soit lisse et homogène.

❦ Faites cuire les crêpes à feu moyennement élevé dans une poêle de 15 cm (6 po.) en employant 60 ml (1/4 t.) du mélange à la fois. Vous pouvez toujours les faire cuire dans une poêle de 30 cm (12 po.) en employant 125 ml (1/2 t.) du mélange à la fois, mais pour ma part je préfère les petites crêpes. Ne les faites pas cuire plus de 45 secondes de chaque côté car elles seront trop sèches. Servez-les avec une sauce aux pommes (voir recette p. 114)

---

* Pour plus de détails, voir le panier de provisions au début du livre.
** Broyez-la en vous servant du mélangeur électrique (blender).

Crêpes «T'as bien dormi?»

Excellent, quand on a quelque chose (ou quelqu'un...) à se faire pardonner...

Préparation:	10 min.
Cuisson totale:	10-20 min.
Attente :	Aucune
Quantité:	8 petites crêpes ou 4 grosses

250 ml (1 t.) de farine de blé à pâtisserie
*2 ml (1/2 c. à thé) de levure chimique sans alun (poudre à pâte)**
125 ml (1/2 t.) de lait
1 Oeuf
15 ml (1 c. à soupe) d'huile de tournesol pressée à froid

250 ml (1 t.) de pêches tranchées non sucrées, en boîte
conservez le jus (60 ml 1/4 t.) de jus de pêche
5 ml (1 c. à thé) de vanille

- Mélangez bien les ingrédients secs. Ajoutez le lait et les oeufs battus peu à peu afin que le mélange ne forme pas de grumeaux. Fouettez le tout vigoureusement. Ajoutez l'huile et remuez bien.

- Broyez les pêches au mélangeur électrique et ajoutez-les au mélange en même temps que le jus de pêche et la vanille. Mélangez bien tous les ingrédients.

❦ Faites cuire les crêpes à feu moyennement élevé dans une poêle beurrée de 15 cm (6 po) en employant 60 ml (1/4 t.) du mélange à la fois. Vous pouvez toujours les faire cuire dans une poêle de 30 cm (12 po) en employant 125 ml (1-1/2 t.) du mélange à la fois, mais pour ma part je préfère les petites crêpes. Faites-les cuire assez longtemps des deux cotés afin qu'elles n'aient pas une texture trop molle. Ces crêpes, contrairement à d'autres, n'auront pas tendance à sécher.

❦ Servez-les avec une sauce aux pêches que vous obtiendrez en passant des pêches et un peu d'eau dans le mélangeur électrique.

---

* Pour plus de détails, voir «levure chimique» à la p. 15

Drôles de biscuits aux figues

Et s'ils vous faisaient rire aux éclats?...

Préparation:	25 min.
Cuisson:	30 min.
Attente:	Aucune
Quantité:	20 biscuits

Garniture:

15 Figues
250 ml d'eau

Pâte:

250 ml (1 t.) de farine de blé entier à pâtisserie
*125 ml (1/2 t.) de farine blanche non blanchie**
1 ml (1/4 c. à thé) de muscade
*1 ml (1/4 c. à thé) de stevia**
75 ml (5 c. à soupe) de lait
5 ml (1 c. à thé) d'essence de vanille

- Dans un bol moyen, mélangez la farine, la muscade et le stevia. Ajoutez le lait et la vanille en formant une boule. Recouvrez la pâte d'un linge humide et réfrigérez-la.

- Pendant ce temps, faites mijoter l'eau et les figues à couvert, une quinzaine de minutes. Passez-les au mélangeur électrique afin d'obtenir une purée qui ne soit ni trop épaisse, ni trop liquide. Vous devrez pour ce faire, employer environ 175 ml (3/4 t.) de liquide de cuisson ou d'eau.

- Roulez la pâte sur une surface enfarinée en un rectangle de 40 cm X 30 cm (16 po X 12 po). Étalez uniformément la purée de figues sur la pâte et roulez celle-ci dans le sens de la longueur. Coupez le rouleau obtenu en 20 parties égales.

❦ Beurrez une plaque à biscuits et déposez-y chaque rondelle de pâte, côté coupé sur le dessus. Faites cuire à 180°C (360°F) 30 minutes.

---

* Pour plus de détails voir le panier de provisions au début du livre.

Éclairs Lucie Lucie

Vous tricherez... comme elles!

Préparation: 45 min.
Cuisson: 35 min.
Attente: 10 min.
Quantité: 8-10 éclairs

Pâte à choux:

250 ml (1 t.) d'eau
125 ml (1/2 t.) de beurre
125 ml (1/2 t.) de farine de blé entier à pâtisserie
*125 ml (1/2 t.) de farine blanche non blanchie**
*Une pincée de stevia**
4 Oeufs

Crème patissière:

125 ml (1/2 t. de brisures de caroube non sucrée
250 ml (1 t.) de lait
125 ml (1/2 t.) de crème 35%
*22 ml (1 c. à soupe) de poudre de marante**
ou de fécule de maïs
*5 ml (1 c. à thé) de beurre de pomme**
ou de purée de dattes (recette p. 103)
2 Jaunes d'oeufs
5 ml (1 c. à thé) de vanille

125ML (1/2 t.) de crème 35%
5 ml (1 c. à thé) de beurre de pomme

Glaçage:

*125 ml (1/2 t.) de brisures de caroube fondue**
Un petit morceau de parafine

❦ Faites bouillir l'eau à feu élevé. Lorsque l'eau bout, baissez la température à feu moyen et ajoutez le beurre en brassant bien jusqu'à ce qu'il fonde. Ajouter la farine et le stevia d'un seul coup et à l'aide d'une cuillère en bois, brassez vigoureusement jusqu'à ce que la pâte se détache des parois du chaudron et forme une boule. Retirez du feu et laissez tiédir 2-3 minutes. Ajoutez les oeufs un à un et, entre chaque addition, battez vigoureusement avec un batteur électrique. Vous pouvez également employer un fouet ou une cuillère en bois, mais la tâche sera moins facile. Battez la pâte jusqu'à ce qu'elle soit bien lisse et brillante. Réfrigérez-la 15-30 minutes.

❦ Pendant ce temps, préparez la crème pâtissière: Dans une casserole, et à feu doux, faites fondre les brisures de caroube. Ajoutez le lait et la crème graduellement en battant constamment avec un fouet. Augmentez la chaleur à feu moyen et ajoutez la poudre de marante, le beurre de pomme et les jaunes d'oeufs avant que le mélange ne soit trop chaud. Fouettez bien le tout et laissez mijoter 30 secondes. Ajoutez la vanille et laissez refroidir.

❦ Dans un bol en verre, fouettez la crème à 35%. Lorsqu'elle commence à épaissir, ajoutez le beurre de pomme et continuer à fouetter jusqu'à ce qu'elle devienne bien ferme. Incorporez-la à la crème pâtissière refroidie.

❦ Beurrez légèrement une plaque à biscuits afin d'y faire cuire la pâte à choux: Servez-vous d'une douille et partagez-la en forme de bâtonnets de 15 cm (6 po) de long, par 3 cm (1 po) de large. Si vous n'avez pas de douille, vous pouvez toujours vous aider de deux cuillères ou opter pour des choux au lieu d'éclairs. Faites cuire la pâte 10 minutes à 210°C (425°F) et 25 minutes de plus à 180°C (350°F).

❦ Laissez refroidir les éclairs sur des grilles et coupez-les en deux horizontalement. A feu doux, faites fondre les brisures de caroube avec juste assez de parafine pour que le mélange ne soit pas trop épais. Trempez-y le dessus de la partie supérieure de l'éclair et replacez-le sur la partie inférieure après l'avoir fourrée de la crème pâtissière. Si vous ne les servez pas immédiatement, réfrigérez-les.

---

* Pour plus de détails sur le panier de provisions au début du livre.

Fraises à faire rêver

Scène 1... prise 32... on tourne!

Préparation: 20 min.
Cuisson: 2 min.
Attente: Aucune
Quantité: 2 portions

12 fraises moyennes ou grosses
*60 ml (1/4 t.) de brisures de caroube non sucrée**
5 ml (1 c. à thé) de parafine

60 ml (1/4 t.) de brisures de caroube non sucrée
30 ml (2 c. à soupe) de crème légère
60 ml 1/4 t.) de lait
*5 ml (1 c. à thé) de confiture de fraises non sucrée ou de beurre de pomme**
1 ml (1/4 c. à thé) d'essence de poire ou de vanille

❦ Lavez et équeutez les fraises. Asséchez-les bien. Dans une petite casserole, faites fondre les brisures de caroube et la parafine à feu doux. Plongez la tête des fraises dans la caroube fondue et déposez-les ensuite sur un papier ciré.

❦ Dans une autre casserole, faites fondre les brisures de caroube à feu doux. Retirez-les de la source de chaleur et incorporez le lait et la crème en fouettant constamment le mélange. Ajoutez la confiture de fraises ou le beurre de pomme et l'essence de poire et fouettez à nouveau jusqu'à ce que la sauce soit lisse.

❦ Nappez le fond de deux assiettes de cette sauce et déposez les fraises par dessus, tête en haut. Servez immédiatement.

NOTE: Si vous désirez préparer ce dessert à l'avance, laissez la sauce en attente au réfrigérateur. Si elle épaissit trop, vous n'aurez qu'à rajouter un peu de lait. Nappez ensuite vos deux assiettes de cette sauce et déposez-y les fraises à la caroube.

---

* **Pour plus de détails, voir le panier de provisions au début du livre.**

Gâteau reine Natalie
Voir recette page 68

Couronne d'été
Voir recette page 42

Fraises à faire rêver
Voir recette page 63

Mélodie aux pêches
Voir recette page 77

Fruits surprise

Un vrai « Fruits for all»...

Préparation:	5-15 min.
Cuisson:	5-15 min.
Attente:	Aucune
Quantité:	au choix

L'eté, profitez du plein air et de votre barbecue en faisant cuire ces différents fruits enveloppés dans un papier d'aluminium...

ANANAS: Coupez-les en morceaux, recouvrez-les légèrement de noisettes de beurre et de sauce aux fruits séchés* . Saupoudrez de noix de coco non sucrée et d'essence de rhum, si désiré.

BANANES: Tranchez-les et garnissez-les de noisettes de beurre et de sirop de fruits séchés*

PÊCHES: Coupez-les en quartier et garnissez-les de noisettes de beurre et de sirop de fruits séchés* . Ajoutez quelques gouttes d'essence d'amandes et des amandes effilées si désiré.

POMMES: Pelez et tranchez. Garnissez-les de noisettes de beurre et de sirop de fruits séchés*. Saupoudrez légèrement de cannelle ou de muscade.

---

* **Abricots, dattes ou raisins (recette p. 103)**
Voir «fruits séchés» p. 14

Gâteau citronnette

Bon à plisser des yeux... Pattes d'oies, s'abstenir!...

Préparation:	20 min.
Cuisson:	30-40 min.
Attente:	aucune
Quantité:	8 pers.

Pâte:

175 ml (3/4 t.) de lait
125 ml (2 t.) de dattes dénoyautées coupées finement
60 ml (1/4 t.) de jus de citron
5 ml (1 c. à thé) de zeste de citron râpé

125 ml (2 t.) de beurre mou
2 Oeufs
5 ml (1 c. à thé) d'essence de vanille

560 ml (2 1/4 t.) de farine de blé entier à pâtisserie
*12 ml (2 1/2 c. à thé) de levure chimique sans alun (poudre à pâte)**
*2 ml (1/2 c. à thé) de stevia**

Glaçage:

*250 ml (1 t.) de fromage à la crème ou Ricotta***
15 ml (1 c. à soupe) de jus de citron
20 ml (4 c. à soupe) de lait
20 ml (4 c. à thé) de beurre de pomme
ou
25 ml (5 c. à thé) de purée de dattes
*ou de raisins (recette p. 103)****

❦ À feu moyen ou au micro-ondes, faites chauffer le lait. Lorsqu'il est sur le point d'entrer en ébullition, baissez la température, ajoutez les dattes et faites frissonner le mélange 5 minutes. Passez le tout au mélangeur électrique (blender).

❦ Dans un grand bol, fouettez le beurre et ajoutez les oeufs un à un en battant bien entre chaque addition. Ajoutez l'essence de vanille, le mélange de dattes et de lait, le jus et le zeste de citron. Mélangez bien.

❦ Tamisez la farine, la levure chimique et le stevia au-dessus du mélange humide et remuez tout doucement à l'aide d'une spatule.

❦ Beurrez et enfarinez un moule à pain de 22 cm X 12 cm (8 1/2 po X 4 1/2) et versez-y la pâte. Faites-la cuire 30-40 minutes à 190°C (375°F) ou jusqu'à ce qu'une broche insérée au centre du gâteau en ressorte propre. Il est très important de surveiller la cuisson de ce gâteau afin que sa texture demeure moelleuse. S'il est sec en refroidissant ou le lendemain, c'est qu'il est trop cuit. Si vous employez des moules de plus grande dimension, faites une fois et demi la recette ou doublez la selon la grosseur des moules.

❦ Fouettez bien tous les ingrédients du glaçage et nappez-en le centre et le dessus du gâteau.

---

* Pour plus de détails, voir le panier de provisions au début du livre.
** Pour un glaçage moins calorique, employez le Ricotta.
*** Voir «fruits séchés» à la p. 14

Gâteau reine Natalie

Elysabeth qui?...

Préparation:	30 min.
Cuisson:	25 min.
Attente:	aucune
Quantité:	9-12 carrés

175 ml (3/4 t.) d'eau bouillante
250 ml (1 t.) de dattes hachées grossièrement

125 ml (1/2 t.) de beurre à la température de la pièce
1 oeuf
5 ml (1 c. à thé) de vanille

375 ml(1 1/2 t.) de farine de blé entier à pâtisserie
*7 ml (1 1/2 c. à thé) de levure chimique sans alun (poudre à pâte)**
125 ml (1/2 t.) de noix de grenoble en morceaux

Glaçage:

90 ml (6 c. à soupe) de lait
*30 ml (2 c. à soupe) de crème***
30 ml (2 c. à soupe) de beurre
7 dattes dénoyautées
125 ml (1/2 t.) de noix de coco râpée non sucrée (facultatif)

- Jetez l'eau bouillante sur les dattes hachées et laissez en attente.

- Dans un bol moyen et à l'aide d'un fouet, mélangez bien le beurre, l'oeuf et la vanille.

Tamisez, au dessus de ce mélange, la farine de blé et la levure chimique. Mélangez bien le tout à l'aide d'une spatule sans trop brasser.

Passez l'eau bouillante et LA MOITIÉ des dattes au mélangeur électrique (blender) et incorporez-les délicatement au premier mélange.

Ajoutez l'autre moitié de dattes et les noix de grenoble et mélangez délicatement à nouveau.

Beurrez et enfarinez un moule carré de 20 cm X 20 cm (8 po X 8 po) et versez-y la pâte.

Faites cuire le gâteau 20 minutes à 190°C(375°F). Pendant ce temps, préparez le glaçage: faites bouillir le lait, la crème, le beurre et les dattes 2 ou 3 minutes. Passez le tout au mélangeur électrique, ajoutez la noix de coco et remuez bien.

Après les 20 minutes de cuisson, sortez le gâteau du four et versez le glaçage dessus. Remettez le au four 5 minutes.

---

* Pour plus de détails, voir le panier de provisions au début du livre.
** Vous pouvez toujours la remplacer par du lait.

Gâteau renversé à l'ananas

C'est vous qui serez renversé!....

Préparation:	30 min.
Cuisson:	25 min.
Attente:	aucune
Quantité:	8 portions

540 ml (2 1/4 t.) d'ananas en morceaux non sucrés, bien égouttés
(conservez le jus)

Pâte:

125 ml (1/2 t.) d'eau
60 ml (1/4 t.) de lait
*125 ml (1/2 t.) de dattes dénoyautées, hachées**
125 ml (1/2 t.) de beurre à la température de la pièce
1 Oeuf
5 ml (1 c. à thé) de vanille
375 ml (1 1/2 t.) de farine de blé entier à pâtisserie
*7 ml (1 1/2 c. à thé) de levure chimique (poudre à pâte) sans alun***

Sauce:

5 dattes dénoyautées
60 ml (1/4 t.) de jus d'ananas
60 ml (1/4 t.) d'eau
60 ml (1/4 t.) de lait
30 ml (2 c. à soupe) de crème
45 ml (3 c. à soupe) de beurre

❦ Disposez les morceaux d'ananas dans le fond d'un moule beurré de 20 cm X 20 cm (8 po x 8 po). Laissez en attente.

❦ Préparez la pâte: à feu moyen, faites chauffer l'eau et le lait jusqu'au point d'ébullition. Retirez du feu et jetez le tout sur les dattes. Laissez en attente 10 minutes et passez les ingrédients au mélangeur électrique.

❦ Pendant ce temps, préparez la sauce: Mélangez tous les ingrédients et faites-les mijoter à feu doux, 2 ou 3 minutes. Versez-les sur les ananas.

❦ Continuez la préparation de la pâte: dans un bol moyen et à l'aide d'un fouet, battez bien le beurre, l'oeuf et la vanille. Ajoutez le mélange de dattes et remuez bien le tout. Tamisez au-dessus la farine de blé et la levure chimique et mélangez bien à nouveau.

❦ Répartissez la préparation également sur les fruits en vous aidant d'une cuillère ou d'une spatule. Faites attention de ne pas trop bouger la pâte qui, de toute façon, s'étendra d'elle même au cours de la cuisson.

❦ Faites cuire 25 minutes à 190°C (375°F). Une fois tiède, retournez le sur un plat de service.

---

* Voir «fruits séchés» p. 14
** Pour plus de détails, voir «levure chimique» p. 15

Gâteau «Ti Amo»

Une autre façon savoureuse de dire «je t'aime»...

Préparation:	45 min
Cuisson:	30-40 min.
Attente:	15-20 min.
Quantité:	8 portions

*1 Petit gâteau coquelicot (recette p. 92)**
45 ml (3 c. à soupe) de jus d'orange

Garniture:

15 ml (1 c. à soupe) d'eau froide
*5 ml (1 c. à thé) d'agar-agar ou de gélatine sans saveur***

425 ml (1 3/4 t.) de fromage Ricotta
60 ml (1/4 t.) de crème sûre
*10 ml (2 c. à thé) de beurre de pomme***
30 ml (2 c. à soupe) de concentré de jus d'orange
*1 ml (1/4 c. à thé) de stevia** (facultatif)*
1 ml (1/4 c. à thé) d'essence d'amande
5 ml (1 c. à thé) d'essence de vanille
60 ml (1/4 t.) de noisettes émiettées

Glaçage:

*125 ml (1/2 t.) de brisures de caroube non sucrée***
125 ml (1/2 t.) de crème sûre
5 ml (1 c. à thé) d'essence de vanille
Jus d'orange
Noisettes entières

❦ Préparez et faites cuire le gâteau. Pendant qu'il refroidit, préparez la garniture: Mettez l'eau froide dans un petit bol et saupoudrez la gélatine dessus. Faites-la fondre au micro-ondes ou dans un chaudron contenant de l'eau bouillante. Incorporez-la au fromage Ricotta et mélangez bien. Ajoutez les autres ingrédients de la garniture et fouettez bien le tout. Laissez en attente au réfrigérateur si le gâteau n'est pas parfaitement refroidie.

❦ Préparez le glaçage: À feu doux, faites fondre les brisures de caroube. Retirez-les du feu et incorporez la crème sûre et l'essence de vanille. Fouettez bien le mélange et ajoutez du jus d'orange graduellement jusqu'à ce que le glaçage soit ni trop ferme ni trop coulant. Conservez.

❦ Coupez le gâteau refroidi horizontalement en trois tranches d'égales épaisseur. Vaporisez le jus d'orange sur chacune des tranches afin de bien les mouiller.

❦ Étendez la moitié de la garniture sur une première tranche de gâteau. Recouvrez-la d'une autre tranche et étendez l'autre moitié de garniture sur cette dernière. Recouvrez-la de la tranche restante que vous napperez du glaçage, en le laissant légèrement couler sur les côtés. Décorez avec les noisettes et réfrigérez.

---

* Préparez la recette SANS les graines de pavot.

** Pour plus de détails, voir le panier de provisions au début du livre.

De délicieux glaçage...

Onctueux... Crémeux... Moelleux.... Doucereux... Soyeux... Merveilleux... ASSEZ! EXÉCUTION:

Préparation:	10 min.
Cuisson:	aucune
Attente:	aucune
Quantité:	300 ml (1 1/4 t.)

Glaçage aux pommes

*250 ml (1 t.) de fromage à la crème ou Ricotta**
*45 ml (3 c. à soupe) de beurre de pomme***
ou
60 ml (1/4 t.) de compote de pommes épaisse (recette p. 41)
*1 ml (1/4 c. à thé) de stevia***

❦ Mélangez bien tous les ingrédients et réfigérez, de préférence, 1/2 heure avant l'utilisation. Pour un glaçage moins épais, ajoutez du lait.

Glaçage aux pommes et aux amandes

❦ À la recette précédente, ajoutez 1 ml (1/4 c. à thé) d'essence d'amande et 60 ml (1/4 t.) d'amandes effilées.

Glaçage au beurre d'arachide

75 ml (1/3 t.) de beurre d 'arachide naturel (sans sucre ni sel ajouté)
*250 ml (1 t.) de fromage à la crème ou Ricotta***
30 ml (2 c. à soupe) de beurre de pomme ou purée de dattes ou de raisins (recette p. 103)*
75 ml (1/3 t.) d'arachides naturelles émiettées (facultatif)

Fouettez bien tous les ingrédients. Si le glaçage est trop épais, ajoutez un peu de lait. Réfrigérez

Glaçage aux fruits

*250 ml (1 t.) de fromage à la crème ou Ricotta**
*15 ml (1 c. à soupe) de beurre de pomme***
*125 ml (1/2 t.) d'ananas frais en morceaux****

Écrasez les ananas à la fourchette. Egouttez-les. Ajoutez les autres ingrédients aux fruits et mélangez bien. Si le glaçage vous semble trop épais, ajoutez graduellement un peu du jus des fruits.

---

* Pour un glaçage moins calorique, employez le Ricotta.
** Pour plus de détails, voir le panier de provisions au début du livre.
*** Vous pouvez remplacer les ananas pas des fraises, des pêches, des framboises ou des bleuets.

Laits glacés bons, bons, bons

Les crèmes glacées sont extrêmement invitantes et alléchantes mais, il faut bien se l'avouer, extrêmement riches en gras et non moins pauvres en calories...Donc, une petite glace de temps en temps, ça va, mais souvent souvent, pas question.

Heureusement que Dame crème glacée compte dans sa famille un frère beaucoup plus raisonnable qu'elle: le lait glacé. Alors, pourquoi ne pas en profiter? Comment? c'est très simple: faites bouger vos yeux et vos doigts et retourner fouiner dans les pages consacrées à la crème glacée en remplaçant tout bonnement cette dernière par du lait...

Mélodie aux pêches

Aimez-vous Brahms?...

Préparation:	30 min.
Cuisson:	15 min.
Attente:	quelques heures
Quantité:	6 - 8 portions

Garniture:

796 ml (28 onces) de pêches tranchées non sucrées en boîte
*20 ml (1 c. à soupe + 1 c. à thé) de poudre de marante * ou de fécule de maïs*
2 Jaunes d'oeufs
*125 ml (1/2 t.) de jus de pêche (de la boîte)***
125 ml (1/2 t.) de lait
125 ml (1/2 t.) de crème à 15%
5 ml (1 c. à thé) d'essence de vanille

Pâte:

375 ml (1 1/2 t.) de farine de blé entier à pâtisserie
*3 ml (3/4 c. à thé) de levure chimique sans alun (poudre à pâte)**
175 ml (3/4 t.) de beurre
22 ml (1 1/2 c. à soupe) de lait
1 oeuf petit

Préparez la pâte: Mélangez bien la farine de blé et la levure chimique. Coupez le beurre dans la farine jusqu'à ce qu'il ait la grosseur d'un pois. Battez l'oeuf et le lait ensemble et incorporez-les graduellement au mélange en employant seulement la quatité nécessaire pour former une boule assez collante. Abaissez la pâte sur une planche enfarinée à environ 6 mm (1/4 po) et foncez une assiette à tarte de 22 cm (9 po). Piquez la croûte et faites-la cuire 15 minutes à 200°C (400°F) et 10 minutes à 180°C (350°F).

❦ Pendant ce temps, préparez la garniture: Passez 175 ml (3/4 t.) de pêches au mélangeur électrique. Versez la purée obtenue dans une casserole moyenne. Ajoutez la poudre de marante et mélangez bien. Ajoutez les jaunes d'oeufs, le jus de pêches, le lait et la crème. Posez la casserole sur un feu moyen et chauffez la préparation jusqu'à ce qu'elle épaississe. Laissez-la mijoter 1 minute en brassant constamment. Retirez-la du feu, ajoutez la vanille et laissez-la tiédir en la fouettant assez souvent.

❦ Versez la crème dans la croûte refroidie et garnissez-la du restant des pêches tranchées. Disposez ces dernières en forme de cercle tout autour de la tarte. Décorez le centre avec quelques morceaux de pêches coupées finement et quelques cerises.

❦ Réfrigérez la tarte quelques heures avant de servir afin que sa texture soit bien ferme.

---

* Pour plus de détails, voir le panier de provisions au début du livre.

** Si vous désirez employer des pêches fraîches, remplacez le jus de la boîte par du jus de pêche ordinaire non sucré ou du jus d'orange non sucré.

Mille fruits

(gâteau aux fruits)

Un Noël sans neige, quelle misère! Mais sans gâteau aux fruits, quel ennui...
Et pour cause! Énergisant comme il est...
Donc, ne faites pas de folies et donnez-le à vos amis ou mangez-en avec parcimonie...

Préparation:	45 min.
Cuisson:	2 1/2 heures
Attente:	8 heures
Quantité:	environ 40 petits carrés ou 15 tranches

375 ml (1 1/2 t.) de raisins de corinthe
*375 ml (1 1/2 t.) de raisins secs sultana**
4 Tranches d'ananas séchés
9 Abricots séchés
250 ml (1 t.) d'amandes effilées
175 ml (3/4 t.) de pacanes hachées
15 ml (1 c. à soupe) d'essence de brandy
15 ml (1 c. à soupe) d'eau

450 ml (1 3/4 t.) de farine de blé entier à pâtisserie
1 ml (1/4 c. à thé) de cannelle moulue
1 ml (1/4 c. à thé) de clou de girofle moulu
1 ml (1/4 c. à thé) de muscade moulue
0.5 ml (1/8 c. à thé) de toute-épice

125 ml (1/2 t.) de beurre mou
3 Oeufs
30 ml (2 c. à soupe) de jus de raisin ou d'orange

❦ Dans un grand bol, mélangez les fruits séchés, les noix, l'eau et l'essence de brandy. Laissez macérer le tout plusieurs heures (au moins 8) à la température de la pièce.

❦ Mélangez la farine et les épices et incorporez 60 ml (1/4 t.) de ce mélange aux fruits et noix macérés. Remuez bien.

❦ Dans un petit bol, mélangez le beurre, les oeufs et le jus de raisin ou d'orange. Versez ces ingrédients humides dans le reste de la farine en remuant délicatement et incorporez le tout au mélange de fruits et de noix. Placez un plat d'eau chaude au fond du four. Faites cuire le gâteau 2 1/2 heures à 160°C (300°F), dans un moule à pain beurré de 23 cm X 13 cm (9 po X 5 po).

NOTE: La texture de ce gâteau pourrait vous sembler étrange avant cuisson. Ne vous en faites pas, il sera délicieux.

---

* Disponibles dans la plupart des marchés d'alimentation en vrac.

Muesli de Bernières

Bernières: Petit endroit de rêve en banlieue de Québec ou j'aimerais me retrouver plus souvent...chaque fois que mon coeur tue le temps...

Préparation:	15 min.
Cuisson:	aucune
Attente:	aucune
Quantité:	1 l (4 T.)

500 ml (2 t.) d'avoine ordinaire (gruau)
125 ml (1/2 t.) de germe de blé
60 ml (1/4 t.) de graines de tournesol
45 ml (3 c. à soupe) de graines de sésame
60 ml (1/4 t.) de noix de coco non sucrée (facultatif)
*60 ml (1/4 t.) de raisins secs**
*60 ml (1/4 t.) de dattes hachées finement**

- Passez les graines de tournesol et l'avoine au mélangeur électrique. Transférez le tout dans un bol moyen et ajoutez le reste des ingrédients. Mélangez bien. Conservez le muesli au réfrigérateur, dans un bocal fermé hermétiquement.

- Vous pourrez vous servir du muesli pour la confection de certains biscuits ou gâteaux mais vous pourrez également le déguster seul, comme une céréale. Voici comment le préparer: Amenez 175 ml (3/4 t.) d'eau et 175 ml (3/4 t.) de lait à ébullition. Ajoutez 125 ml (1/2 t.) de muesli et faites mijoter le tout, à découvert, environ 5 minutes. Faites refroidir la préparation, versez-la dans des coupes à fruits ou des bols de céréales et garnissez le dessus de fruits frais ou en purée (fraises, bleuets ou framboises). Vous pouvez déguster cette céréale chaude mais son goût est exquis lorsqu'elle est froide, surtout accompagnée de fruits frais...

---

* Voir «fruits séchés» p. 14.

Muffins Banana-O

(Banane et orange)

Bananes et orange...un étonnant mélange...

Préparation:	15 min.
Cuisson:	20 min.
Attente:	aucune
Quantité:	12 muffins

1 Grosse orange
2 Petites bananes écrasées
125 ml (1/2 t.) d'huile de tournesol pressée à froid
1 Oeuf
5 ml (1 c. à thé) de vanille

625 ml (2 1/2 t. de farine de blé entier à pâtisserie
*15 ml (1 c. à soupe) de levure chimique sans alun (poudre à pâte)**
*2 ml (1/2 c. à thé) de stevia**
1 ml (1/4 c. à thé) de muscade
1 ml (1/4 c. à thé) de toute-épice

❦ Râpez l'orange en ayant soin de n'utiliser que la partie orangée de l'écorce et gardez-en 30 ml (2 c. à soupe). Épluchez l'orange et passez-la au mélangeur électrique après l'avoir débarrassée de ses pépins.

❦ Transférez le tout dans un bol moyen en conservant 175 ml (3/4 t.) de la purée obtenue. Ajoutez les bananes écrasées, l'huile, l'oeuf et la vanille. Remuez bien le tout.

❦ Tamisez les ingrédients secs au-dessus du mélange humide et brassez le tout délicatement à l'aide d'une spatule en ajoutant l'écorce d'orange râpée.

❦ À l'aide d'une cuillère, mettez la pâte dans des moules à muffins et faites-la cuire à 200°C (400°F) 20 minutes ou jusqu'à ce qu'un cure-dent inséré au centre en ressorte propre.

---

* **Pour plus de détails, voir le panier de provisions au début du livre.**

Muffins Marcel

(au beurre d'arachide)

Nourissants et légers, vous les adopterez...

Préparation:	15 min.
Cuisson:	20 min.
Attente:	5 min.
Quantité:	12 muffins

250 ml (1 t.) de lait
10 ml (2 c. à thé) de jus de citron

2 Oeufs
60 ml (1/4 t.) de purée de dattes (recette p. 103)
60 ml (1/4 t.) d'eau
60 ml (1/4 t.) d'huile de tournesol pressée à froid
175 ml (3/4 t.) de beurre d'arachide crémeux ou croquant
5 ml (1 c. à thé) d'essence de vanille

500 ml (2 t.) de farine de blé entier à pâtisserie
*15 ml (1 c. à soupe) de levure chimique sans alun (poudre à pâte)**
*3 ml (3/4 c. à thé) de stevia**

❦ Dans un grand bol, mélangez le lait et le jus de citron. Laissez en attente 5 minutes. Ajoutez les oeufs, la purée de dattes, l'eau, l'huile, le beurre d'arachide et l'essence de vanille. Fouettez énergiquement le mélange jusqu 'à ce qu'il soit onctueux.

❦ Dans un bol moyen, mélangez la farine, la levure chimique et le stevia. Incorporez le tout aux ingédients humides et remuez délicatement à l'aide d'une spatule. Évitez de trop brasser.

❦ Faites cuire dans des moules à muffins remplis aux trois-quarts 20 minutes à 200°C (400°F). Faites refroidir les muffins sur une grille.

---

* Pour plus de détails, voir le panier de provisions au début du livre.

Muffins pour les amoureux des fraises

Amours bien éphémères, j'en conviens mais... combien délectables!

Préparation:	15 min.
Cuisson:	20 min.
Attente:	aucune
Quantité:	8 muffins

2 Oeufs
75 ml (1/3 t.) de beurre fondu ou d'huile pressée à froid

125 ml (1/2 t.) de fraises en purée (8-10 fraises)
60 ml (1/4 t.) de lait
2 ml (1/2 c. à thé) d'essence d'érable ou de vanille

125 ml (1/2 t.) de farine blanche non blanchie
125 ml (1/2 t.) de farine de blé entier à pâtisserie
*250 ml (1 t.) de céréales à 3 grains***
*45 ml (3 c. à thé) de levure chimique sans alun (poudre à pâte)**
*1 ml (1/4 c. à thé) de stevia**

Dans un bol moyen, battez bien les oeufs et le beurre fondu. Dans une tasse à mesurer, mettez le lait et ajoutez les fraises en purée (écrasées à la fourchette) jusqu'à ce que le mélange des deux indique 175 ml (3/4 t.). Ajoutez l'essence d'érable en remuant bien et versez le tout sur le mélange d'oeufs et de beurre. Mélangez bien.

❦ Tamisez la farine et la levure chimique au dessus des ingrédients humides et brassez délicatement. Ajoutez les céréales et brassez délicatement à nouveau. Faites cuire 20 minutes à 200°C (400°F) dans des moules à muffins beurrés ou en papier remplis aux trois-quarts.

---

* Pour plus de détails, voir le panier de provisions au début du livre.

** Les céréales à 3 grains sont composées de blé concassé, de seigle et de lin. Vous les trouverez en vrac dans les marchés d'alimentation en vrac ou en boîte dans les supermarchés, sous la marque «Red River».

Muffins pour mes voisines

(aux pommes et à l'avoine)

Une douce façon de conquérir...

Préparation:	20 min.
Cuisson:	20 min.
Attente:	aucune
Quantité:	10 muffins

30 ml (2 c. à soupe) de beurre de pomme ou purée de dattes ou de raisins (recette p.103)*
175 ml (3/4 t.) de lait
2 Oeufs
60 ml (1/4 t.) d'huile de tournesol pressée à froid
60 ml (1/4 t.) de beurre fondu
*2 Pommes rouges ou jaunes délicieuses râpées**

250 ml (1 t.) de farine d'avoine ordinaire (gruau)
425 ml (1 3/4 t.) de farine de blé entier à pâtisserie
*15 ml (1 c. à soupe) de levure chimique sans alun (poudre à pâte)**
2 ml (1/2 c. à thé) de coriandre moulue
Un soupçon de cannelle

- Dans un grand bol, fouettez le beurre de pomme ou la purée de dattes ou de raisins en ajoutant graduellement le lait afin d'obtenir un mélange lisse. Ajoutez les oeufs, l'huile et le beurre fondu et remuez bien le tout. Ajoutez les pommes râpées et remuez à nouveau.

- Au-dessus du bol, tamisez ensemble la farine de blé entier, la levure chimique, la coriandre et la cannelle. Ajoutez la farine d'avoine et remuez délicatement la préparation à l'aide d'une spatule. Évitez de trop brasser.

❦ Faites cuire la pâte dans des moules à muffins en papier ou huilés, remplis aux trois-quarts, 20 minutes à 200°C (400°F). Faites refroidir les muffins sur une grille.

---

* Pour plus de détails, voir le panier de provisions au début du livre.

Pêches Loulou

Des pêches en tête? Des pêches en fête...

Préparation:	15 min.
Cuisson:	Aucune
Attente:	aucune
Quantité:	4 portions

125 ml (1/2 t.) d'amandes effilées
4 demi-pêches fraîches (de préférence)
*125 gr de fromage à la crème ou Ricotta**
1 demi-pêche
15 ml (1 c. à soupe) de purée de raisins *(recette p. 104)*
Lait

❦ Faites griller les amandes dans un poêlon et mettez-les de côté.

❦ Plongez les pêches 3 minutes dans l'eau bouillante et pelez-les. Réfrigérez-les.

❦ Passez le fromage à la crème, la demi-pêche et la purée de raisins au mélangeur électrique. Ajoutez le lait graduellement jusqu'à ce que la sauce ne soit ni trop claire ni trop épaisse.

❦ Nappez les pêches de cette sauce et garnissez-les d'amandes grillées. Servez frais.

---

* Pour un dessert moins calorique, employez le fromage Ricotta.

Petit gâteau coquelicot

(graines de pavot)

Charmeur et enjôleur, il saura flatter bien des palais...

Préparation:	15 min.
Cuisson:	30-40 min.
Attente:	aucune
Quantité:	8 portions

270 ml (9 onces) de lait
125 ml (1/2 t.) de dattes dénoyautées

125 ml (1/2 t.) de beurre mou
2 Oeufs
5 ml (1 c. à thé) d'essence de vanille

560 ml (1/4 t.) de farine de blé entier à pâtisserie
*12 ml (2 1/2 c. à thé) de levure chimique sans alun (poudre à pâte)**
*2 ml (1/2 c. à thé) de stevia (facultatif)**
45 ml (3 c. à soupe) de graines de pavot

❦ À feu moyen ou au micro-ondes, faites chauffer le lait. Lorsqu'il est sur le point d'entrer en ébullition, baissez la température, ajoutez les dattes et faites frissonner le mélange 5 minutes. Passez le tout au mélangeur électrique (blender).

❦ Fouettez le beurre et ajoutez les oeufs un à un en battant bien entre chaque addition. Ajoutez le mélange de dattes et la vanille et fouettez à nouveau légèrement.

❦ Tamisez la farine, la levure chimique et le stevia au-dessus du mélange et remuez tout doucement à l'aide d'une spatule. Ajoutez les graines de pavot et remuez délicatement.

❦ Beurrez et enfarinez un moule à pain de 22 cm X 12 cm (8 1/2 po x 4 1/2 po) et versez-y la pâte. Faites-la cuire 30-40 minutes à 190°C (375°F) ou jusqu'à ce qu'une broche insérée au centre en ressorte propre. Il est très important de surveiller la cuisson de ce gâteau afin que sa texture demeure moelleuse. S'il est sec en refroidissant ou le lendemain, c'est qu'il a trop cuit.

❦ Si vous employez des moules plus grands, faites une fois et demi la recette, ou doublez-la selon la grosseur des moules.

Variante : Remplacez l'essence de vanille par de l'essence d'amande et les graines de pavot par 125 ml d'amandes effilées

---

* Pour plus de détails, voir le panier de provisions au début du livre.

Pomme blanche neige

Vous connaîtrez une fin tout aussi heureuse...

Préparation:	10 min.
Cuisson:	6-15 min.
Attente:	aucune
Quantité:	1 portion

*1 Pomme rouge ou jaune délicieuse**
30 ml (2 c. à soupe) de crème
15 ml (1 c. à soupe) de jus de pomme
5 ml (1 c. à thé) de purée de raisins (recette p. 104)
30 ml (1 c. à soupe) d'amandes effilées
2 Gouttes d'essence d'amandes

- À l'aide d'un évide-pomme, enlevez le coeur de la pomme. Prenez le coeur, coupez-en un petit bout à la base et replacez ce bout au fond de la pomme.

- Déposez la pomme dans un plat légerement beurré, allant au four ou au micro-ondes.

- Dans un petit bol mélangez bien le reste des ingrédients. Versez le tout au centre et tout autour de la pomme.

- Faites cuire cette dernière au four ou au micro-ondes. Au four: 15 minutes à 180°C (350°F). Au micro-ondes: Cuire environ 6 minutes à RÔTIR (70%). Laissez reposer quelques minutes avant de servir.

---

* Voir «pommes rouges ou jaunes délicieuses» à la page 15.

Pommes timides

(beignets aux pommes)

Elles gagnent à être connues!...

Préparation:	20 min.
Cuisson totale:	environ 20 min.
Attente:	aucune
Quantité:	16-24 beignets

10 ml (2 c. à thé) de beurre de pomme ou purée de raisins (recette p. 104)*
1 Oeuf
60 ml (1/4 t.) de lait
5 ml (1 c. à thé) d'essence de vanille
10 ml (2 c. à thé) d'essence de fruits (poire, pêche...)
*OU quelques gouttes d'essence d'amande ou d'érable***

250 ml (1 t.) de farine
5 ml (1 c. à thé) de levure chimique sans alun(poudre à pâte)*
*2 ml (1/2 c. à thé) de stevia**

*2-3 Pommes rouges ou jaunes délicieuses**

Huile de tournesol pressée à froid (quantité suffisante pour friture)

- Fouettez bien ensemble le beurre de pomme et l'oeuf. Ajoutez le lait graduellement et fouettez à nouveau. Ajoutez les essences et remuez.

- Dans un petit bol, mélangez bien la farine, la levure chimique et le stevia. Incorporez les ingrédients humides et battez bien. Réfrigérez.

❦ Pendant ce temps, pelez et évidez les pommes. Coupez-les en quartiers d'un peu plus de 6 mm (1/4 po).

❦ Chauffez l'huile de tournesol à 180°C (350°F). Enrobez chaque quartier de pomme de pâte épaisse. Si cette dernière vous semble trop liquide, ajoutez un peu de farine. Plongez les pommes enrobées dans l'huile chaude et faites-les cuire environ 2 minutes de chaque côté ou jusqu 'à ce qu'elles soient dorées. Si la pâte brunit rapidement, c'est que l'huile est trop chaude. Servez les beignets chauds, de préférence, avec de la crème fraîche, les jours de fête seulement...

---

* Pour plus de détails, voir le panier de provisions au début du livre.

** Pour un dessert de «grand soir» remplacez l'essence de fruits par une liqueur fine, si désiré. Après tout, une fois n'est pas coutume!

Crêpes «Bonnes comme toi»
Voir recette page 52

Muffins pour mes voisines
Voir recette page 89

Biscuits pour l'ennui de Sophie
Voir recette page 25

Beigni-beignets
Voir recette page 20

Carrés surprise pour Gisèle
Voir recette page 39

Pouding Véronique
Voir recette page 101

Crème Anglaise
Voir recette page 44

La pouding «C' t' un vrai péché»

Pour votre âme, j'en prendrai tous les blâmes!...

Préparation:	15 min.
Cuisson:	25-30 min.
Attente:	aucune
Quantité:	6 portions

560 ml (2 1/4 t.) de pêches tranchées, fraîches ou en conserve non sucrées
45 ml (3 c. à soupe) de jus de pêche (jus de la boîte) ou d'eau
*10 ml (2 c. à thé) de farine blanche non blanchie**
1 ml (1/4 c. à thé) d'essence d'amande
2 ml (1/2 c. à thé) d'essence de vanille
1 ml (1/4 c. à thé) de cannelle moulue
75 ml (1/3 t.) d'amandes effilées (facultatif)
15 ml (1 c. à soupe) de beurre mou

175 ml (3/4 t . de farine de blé entier à pâtisserie
*3 ml(c. à thé) de levure chimique sans alun (poudre à pâte)***
0.5 ml (1/8 c. à thé) de stevia (facultatif)
45 ml (3 c. à soupe) de beurre MOU
1 Oeuf (gros)

❦ Beurrez un moule à pain de 23 cm X 13 cm (13 po X 5 po). Mélangez les sept premiers ingrédients et déposez-les dans le moule. Parsemez le dessus de noisettes de beurre mou. Préparez la pâte: Mélangez bien la farine de blé, la levure chimique et le stevia. Ajoutez le beurre et à l'aide d'une fourchette, incorporez-le à la préparation. Ajoutez l'oeuf et battez la pâte jusqu'à ce qu'elle soit lisse. Étendez-la uniformément sur les pêches.

❦ Faites cuire à 190°C (375°F) de 25 à 30 minutes ou jusqu'à ce qu'une broche insérée au centre de la pâte en ressorte propre. Servez chaud ou froid, nature ou avec de la crème fraîche.

---

* Pour plus de détails, voir le panier de provisions au début du livre. Si vous n'en avez pas, employez une farine blanche ordinaire.

** Pour plus de détails, voir le panier de provisions au début du livre.

Pouding «Poupoupidou»

(pouding au riz)

Joli mot, n'est-ce pas? Pas quand vous le prononcez comme ça!... Il doit être prononcé tout en douceur et en légèreté, les lèvres en coeur. comme cette petite Betty des dessins animés qui m'a si souvent charmée....Vous vous souvenez?

Préparation:	15 min.
Cuisson:	2 heures
Attente:	8 heures, de préférence
Quantité:	8 portions

375 ml (1/2 t.) d'eau
*175 ml (3/4 t.) de riz brun basmati**
425 ml (1 3/4 t.) de lait
175 ml (3/4 t.) de crème à 15%
60 ml (1/4 t.) de purée de dattes (recette p. 103)
1 Oeuf
2 jaunes d'oeufs (gardez les blancs)
*75 ml (1/3 t.) de raisins secs***
5 ml (1 c. à thé) d'essence de vanille et/ou d'érable
1 ml (1/4 c. à thé) de cannelle moulue
0.5 ml (1/8 c. à thé) de muscade moulue

2 Blancs d'oeufs
5 ml (1 c. à thé) de purée de dattes

❦ Dans une casserole moyenne, amenez l'eau et le riz à ébullition. Couvrez et faites cuire à feu DOUX 45 minutes.

❦ Retirez du feu et laissez reposer quelques instants. Dans un bol moyen mélangez bien le lait, la crème, la purée de dattes, l'oeuf et les jaunes d'oeufs. Ajoutez le reste des ingrédients et versez le mélange sur le riz. Sur un feu moyen, amenez le tout à ébullition en remuant constamment.

❦ Transférez la préparation dans un moule à pain beurré et faites-la cuire 1 1/4 heure à 170°C (325°F).

❦ Quelques minutes avant que la cuisson ne soit terminée, montez les blancs d'oeufs en neige ferme. Une fois qu'ils le sont, incorporez la purée de dattes et battez bien à nouveau. Couvrez le pouding cuit de ce mélange et faites dorer 2-3 minutes. Réfrigérez.

❦ Je vous conseille fortement de préparer ce dessert la veille. Son goût et sa texture n'en seront que meilleurs. Servez-le avec un sirop de dattes ou de raisins arômatisé d'essence d'érable (recette p. 116)

---

* Le riz Basmati se trouve dans la plupart des marchés d'alimentation en vrac ou dans les magasins d'aliments naturels. J'adore ce riz car il a une saveur tres particulière. Si vous n'en avez pas, remplacez-le par un riz brun ordinaire.

** Voir «fruits séchés» dans le panier de provisions au début du livre.

Pouding Véronique

(au pain et aux abricots)

Avoir des yeux si noirs et si émouvant...C'est presque gênant... autant peut-être que ce dessert que, pour toi, j'ai voulu si attirant...

Préparation:	30 min.
Cuisson:	35 min.
Attente:	aucune
Quantité:	8 portions

*6 Abricots séchés**
60 ml (1/4 t.) de lait

60 ml (1/4 t.) de beurre fondu
75 ml (1/3 t.) d'amandes effilées
12 Abricots séchés

3 Oeufs
*15 ml (1 c. à soupe) de beurre de pomme***
ou
30 ml (2 c. à soupe) de purée de dattes ou de raisins (recette p. 103)
250 ml (1 t.) de lait
5 ml (1 c. à thé) d'essence de vanille
2 ml (1/2 c. à thé) d'essence d'amande
1 L (4 t.) de pain de blé entier avec croûte coupé en morceaux de 3 cm (1 po)

❦ Au four micro-ondes ou à feu élevé, amenez les 6 abricots et le lait à ébullition. Réduisez la chaleur et faites-les mijoter jusqu'à ce qu'ils soient tendres (10-15 minutes). Passez-les au mélangeur électrique afin d'en obtenir une purée.

- Transvidez la purée dans un bol moyen et ajoutez le beurre fondu et les amandes. Remuez bien le tout.

- Coupez les 12 abricots en deux afin de les amincir. Ajoutez-les à la première préparation. Versez le mélange dans un moule à tube ou un moule à tarte profond beurré et étalez-le uniformément. Conservez.

- Dans un grand bol, battez les oeufs, le beurre de pomme et le stevia en ajoutant graduellement le lait et la vanille. Mesurez le pain coupé en le pressant légèrement dans la tasse à mesurer et incorporez-le au mélange d'oeufs. Remuez bien avant de transvider le tout dans le moule.

- Faites cuire le pouding de la façon suivante: placez le moule dans une grande lèchefrite profonde et versez de l'eau chaude dans cette dernière jusqu 'à ce que le moule en ait à peu près à la moitié de sa hauteur. Placez le tout dans le four et faites cuire le pouding 35 minutes à 180°C (350°F). Renversez-le sur un plat de service lorsqu'il est tiède et servez-le avec de la crème fouettée relevée de beurre de pomme et parfumée d'essence de rhum ou avec une crème anglaise au rhum (recette p. 14)

---

* Voir «fruits séchés» à la p. 14

** Pour plus de détails, voir «beurre de pomme» à la p. 13

Des purées aux airs de fête...

Des purées à manger, à savourer, à déguster.
Des purées colorées, raffinées, sophistiquées.
Bref, des purées à adopter et... à aimer

Purée d'abricots

Préparation:	10 min.
Cuisson:	10 min
Attente:	aucune
Quantité:	125 ml (1/2 t.)

250 ml (1 t.) d'abricots séchés
250 ml (1 t.) d'eau

- Amenez l'eau à ébullition. Réduisez la chaleur et faites mijoter 10 minutes ou jusqu'à ce que les fruits soient tendres. Passez-les au mélangeur électrique (blender) en incorporant l'eau graduellement afin d'obtenir une purée assez épaisse. La purée devra être bien ferme une fois refroidie mais n'oubliez pas qu'elle épaissira en refroidissant. Si vous manquez d'eau de cuisson, ajoutez de l'eau ordinaire. Réfrigérez ou congelez pour en avoir toujours sous la main.

Purée de dattes

- Remplacez les abricots par des dattes à cuisson dénoyautées.

Purée de raisins secs

- Remplacez les abricots pas des raisins secs, mais lorsque vous passez les fruits au mélangeur électrique, n'employez que très peu d'eau de cuisson (environ 10 ml - 2 c. à thé).

Profiteroles magiques

Et vous en profiterez laissez-moi vous le dire!...

Préparation:	25 min.
Cuisson:	30 min.
Attente:	15 min.
Quantité:	12 petits choux

Pâte à choux:

125 ml (1/4 t.) d'eau
60 ml (1/4 t.) de beurre
60 ml (1/4 t.) de farine de blé entier à pâtisserie
*60 ml (1/4 t.) de farine blanche non blanchie**
*Une pincée de stevia**
2 Oeufs

Garniture:

250 ml (1 t.) de crème glacée maison à la vanille (recette p. 46)

Sauce à la caroube:

*125 ml (1/2 t.) de brisures de caroube non sucrée**
5 ml (1 c. à thé) de beurre de pomme ou purée de dattes ou raisins (recette p. 103)*
Lait

- Faites bouillir l'eau à feu élevé. Lorsque l'eau bout, baissez la température à feu moyen et ajoutez le beurre en brassant bien jusqu'à ce qu'il fonde. Ajoutez la farine et le stevia d'un seul coup et à l'aide d'une cuillère en bois, brassez vigoureusement jusqu'à ce que la pâte se détache des parois du chaudron et forme une boule. Retirez la pâte du feu et laissez-la tiédir 2-3 minutes. Ajoutez les oeufs un à un et, entre chaque addition, battez vigoureusement avec un batteur électrique. Vous pouvez également employer un fouet ou une cuillère en bois mais la tâche sera moins facile. Battez la pâte jusqu'à ce qu'elle soit bien lisse et brillante, Réfrigérez-la de 15 à 30 minutes.

- Beurrez légèrement une plaque à biscuits afin d'y faire cuire la pâte à choux: Séparez cette dernière en 12 parts égales (les profitéroles sont de très petits choux) et laissez tomber les 12 boules de pâte sur la plaque, à une distance raisonnable. Faites-les cuire 10 minutes à 210°C (425°F) et de 15 à 20 minutes de plus à 180°C (350°F). Laissez-les refroidir sur une grille et réfrigérez-les.

- Préparez la sauce: À feu très doux, faites fondre les brisures de caroube et le beurre de pomme ou la purée de dattes. Ajoutez du lait jusqu'à ce que la sauce ne soit ni trop claire ni trop épaisse. Conservez.

- Au moment de servir, fourrez chaque petit choux de crème glaçée et nappez-les de sauce à la caroube CHAUDE. Pour une variante intéressante, nappez les choux de sauce différente comme celles que je vous propose aux pages 114 et 115.

---

* Pour plus de détails, voir le panier de provisions au début du livre.

Roulé Claudio

Aussi tendre et fragile que les souvenirs qu'il m'inspire...

Préparation:	25 min.
Cuisson:	30 min.
Attente:	45 minutes, de préférence
Quantité:	8 portions

Pâte:

250 ml (1 t.) de farine de blé entier à pâtisserie
75 ml (1/3 t.) de graisse végétale
75 ml (1/3 t.) de lait

Garniture:

*175 ml (3/4 t.) de purée de raisins(recette p. 104)**
*30 ml (2 c. à soupe) d'eau***
250 ml (1 t.) de noix de grenoble hachées
60 ml (1/4 t.) de zeste d'orange
Toute épice

❦ Préparez la pâte: Coupez le gras dans la farine de blé jusqu'à ce qu'il ait la grosseur d'un pois. Ajoutez le lait et mélangez bien à la fourchette. Terminez l'opération avec les mains afin de former une boule. Recouvrez-la d'un linge humide et placez-la au réfrigérateur de 15 minutes à 1 heure.

❦ Préparez la garniture: Ajoutez l'eau graduellement à la purée de raisins en brassant constamment. Mettez de côté. Hachez les noix de grenoble si elles ne le sont pas et mettez de côté. Râpez une orange pour en obtenir le zeste et mettez-le de côté également.

❦ Séparez la pâte en deux et abaissez-la en deux rectangles de 10 cm X 30 cm (4 po X 12 po). Étendez uniformément la purée de raisins sur les deux rectangles et garnissez le dessus des noix et du zeste d'orange. Pour terminer, saupoudrez légèrement la garniture du toute-épice.

❦ Tournez les rectangles de pâte en spirale, dans le sens de la longueur et placez-les sur une plaque à biscuits beurrée. Faites cuire à 180°C (350°F) 30 minutes. Découpez en tranches.

---

* Voir «fruits séchés» dans le panier de provisions au début du livre.
** Mettez l'eau seulement si votre purée de raisins est très épaisse.

Ruban de fraises

Vous ne l'aviez pas attaché? Oh!.... il s'est envolé.

Préparation:	40 min.
Cuisson:	35 min.
Attente:	aucune
Quantité:	8 portions

Pâte à choux:

180 ml (3/4 t.) d'eau
75 ml (1/3 t.) de beurre
125 ml (1/2 t.) de farine de blé entier à pâtisserie
*50 ml (1/4 t.) de farine blanche non blanchie**
3 Oeufs

Crème pâtissière:

*45 ml (3 c. à soupe) de confiture aux fraises non sucrée***
20 ml (1 c. à soupe + 1 c. à thé) de poudre de marante ou fécule de maïs*
250 ml (1 t.) de lait
125 ml (1/2 t.) de crème à 35%
5 ml (1 c. à soupe) de vanille
2 Jaunes d'oeufs

125 ml (1/2 t.) de crème à 35%
500 ml (2 t.) de fraises coupées en morceaux

Pour préparer la pâte à choux, amener l'eau à ébullition dans une casserole moyenne. Lorsque l'eau bout, réduisez la chaleur à feu doux et ajoutez le beurre en brassant jusqu'à ce qu'il fonde. Ajoutez la farine d'un seul coup et brassez vigoureusement avec une cuillère en bois jusqu'à ce que le mélange forme une boule et qu'il se détache des bords de la casserole. Retirez du feu et attendez 2-3 minutes, le temps que la pâte tiédisse. Ajoutez les oeufs un à un en battant vigoureusement entre chaque addition. Cette opération peut s'effectuer à la main mais il est préférable d'utiliser un mélangeur électrique. Battez la pâte jusqu'à ce qu'elle soit lisse.

- Recouvrez une plaque à biscuits d'une feuille de papier ciré, côté ciré en- dessous. Tracez un cercle de 22 cm (9 po) de diamètre sur le papier et retournez-le. Beurrez-le généreusement et en vous servant d'une douille à gâteau, formez une couronne de 3 cm (1 po) de large avec la pâte, en suivant bien le tracé du papier. Si vous n'avez pas de douille, vous pouvez toujours effectuer cette opération à l'aide d'une cuillère. Si la chose vous semble trop difficile, déposez plutôt la pâte en forme de huit choux sur une plaque à biscuits beurrée. Faites cuire 10 minutes à 210°C (425°F) et 25 minutes de plus à 180°C (35O°F). Laissez refroidir sur une grille.

- Préparez la crème pâtissière: à feu moyen, faites chauffer la confiture, la poudre de marante, le lait, la crème et les jaunes d'oeufs en brassant continuellement jusqu'à ce que le mélange épaississe. Faites mijoter une minute, retirez du feu, ajoutez la vanille et remuez bien. Laissez refroidir.

- Fouettez la crème à 35% avec une pincée de stevia* et incorporez-la à la crème pâtissière à l'aide d'une spatule. Ajoutez les morceaux de fraises bien égouttées et remuez délicatement le mélange.

- Coupez le dessus de la couronne de pâte et fourrez la base de la crème pâtissière. Remettez le dessus en place et si vous le désirez, garnissez-le de fraises fraîches. Servez immédiatement ou réfrigérez.

---

* Pour plus de détails voir le panier de provisions au début du livre.

** La confiture aux fraises non sucrée se trouve généralement dans les marchés d'alimentation en vrac ou dans les magasins d'aliments naturels. À défaut de vous en procurer, vous pouvez employer une purée de dattes (recette p. 103) mais la crème aura moins le goût de la fraise.

Salade aux trois melons

Jamais deux sans trois...

Préparation:	15 min.
Cuisson:	aucune
Attente:	aucune
Quantité:	11/2 l (6 t.)

500 ml (2 t.) de melon d'eau
500 ml (2 t.) de melon brodé
500 ml (2 t.) de melon de miel

*30 ml (2 c. à soupe) de beurre de pomme**
125 ml (1/2 t.) d'eau minérale gazéifiée
*175 ml (3/4 t.) de jus d'orange non sucré***

- En vous servant d'une cuillère spéciale, coupez les melons en boule. Réfrigérez-les.

- Ajoutez graduellement l'eau minérale au beurre de pomme afin de rendre le tout lisse et homogène. Ajoutez le jus d'orange et mélangez à nouveau. Réfrigérez.

- Au moment de servir, versez le liquide sur les fruits.

---

* Pour plus de détails, voir le panier de provisions au début du livre.
** Employez le jus d'oranges fraîches, de préférence.

Salade de fraises invitantes

Une invitation? Quelle délicatesse!...
J'y serai, avec plaisir...

Préparation:	10 min.
Cuisson:	aucune
Attente:	aucune
Quantité:	1 l (4 t.)

1 L (4 t.) de fraises fraîches entières
10 ml (2 c. à thé) de beurre de pomme ou purée de dattes ou de raisins (recette p. 103)*
175 ml (3/4 t.) de jus d'orange frais
*22 ml (1 1/2 c. à soupe) d'eau de fleur d'oranger***
Un soupçon de cannelle ou de coriandre moulue (facultatif)
Feuilles de menthe fraîches

- Dans un petit bol, fouettez le beurre de pomme ou la purée de dattes ou de raisins en ajoutant le jus d'orange graduellement. Ajoutez l'eau de fleur d'oranger. Conservez.

- Lavez et équeutez les fraises. Placez-les dans un grand bol et arrosez-les du jus d'orange. Saupoudrez-les légèrement de cannelle ou de coriandre, si désiré. Réfrigérez.

- Au moment de servir, garnissez-les de feuilles de menthe coupées et entières.

---

* Pour plus de détails, voir «beurre de pomme» à la p. 13
** Cette eau est en vente dans les marchés d'alimentation en vrac, les magasins d'aliments naturels et quelquefois dans les pharmacies.

Des sauces onctueuses...

En primeur et en grande première, des sauces à humer et à délecter, sans culpabilité!...

Préparation:	5-10 min.
Cuisson:	aucune
Attente:	aucune
Quantité:	175 ml (3/4 t.) 250 ml (1 t.)

Sauce aux pommes

125 ml (1/2 t.) de compote de pommes épaisse (recette p. 41)
125 ml (1/2 t.) de lait
15 ml (1 c. à soupe) de crème à 35% (facultatif)
Un soupçon de cannelle ou de muscade (facultatif)

Mélangez tous les ingrédients au fouet. Augmentez ou diminuez légèrement la quantité de lait, selon la consistance de sauce que vous désirez obtenir.

Sauce aux pommes et aux amandes:

125 ml (1/2 t.) de compote de pommes épaisse (recette p. 41)
30 ml (2 c. à soupe) de fromage à la crème
125 ml (1/2 t.) de lait
1 ml (1/4 c. à thé) d'essence d'amandes

30 ml (2 c. à soupe) d'amandes effilées

❦ Passez les 4 premiers ingrédients au mélangeur électrique. Si la sauce est trop épaisse à votre goût, ajoutez du lait. Ajoutez les amandes effilées et servez ou réfrigérez.

Sauce aux fruits

*250 ml (1 t.) de fruits frais**
125 gr de fromage à la crème
*30 ml (2 c. à soupe) de beurre de pomme** ou purée de raisins ou purée de dattes (recette p. 103)*
Lait

❦ Passez tous les ingrédients au mélangeur électrique en ajoutant le lait graduellement, jusqu'à consistance désirée.

---

* Choisissez un fruit parmi cette liste ou mélangez-les à votre guise: Bleuets, pêches, ananas, cerises, fraises et framboises.

** Pour plus de détails voir «beurre de pomme» à la p. 13

De bons, de beaux sirops...

Des sirops pour vos crêpes, des sirops pour vos gâteaux... des sirops plein la tête, des sirops... c'est trop, c'est trop!

Préparation:	5 min.
Cuisson:	15 min.
Attente:	aucune
Quantité:	environ 175 ml (3/4 t.)

Sirop d'abricots

*125 ml (1/2 t.) d'abricots séchés**
175 ml (3/4 t.) d'eau

❦ Faites mijoter le tout à feu doux et à couvert une quinzaine de minutes ou jusqu'à ce que les abricots soient tendres. Passez-les au mélangeur électrique en ajoutant l'eau de cuisson graduellement, jusqu'à ce que le sirop ait la consistance désirée. Si vous manquez d'eau de cuisson, ajoutez de l'eau ordinaire. Vous pouvez également ajouter du lait, pour un sirop plus onctueux.

Sirop de dattes

*125 ml (1/2 t.) de dattes dénoyautées**
175 ml (3/4 t.) d'eau

❦ Procédez de la même façon que pour le sirop d'abricots.

Sirop de raisins

*250 ml (1 t.) de raisins secs**
150 ml (2/3 t.) d'eau

Procédez de la même façon que pour le sirop d'abricots.

---

* Voir «fruits séchés» à la p. 14

Surprise aux pommes et à l'avoine

Quelle fraîcheur et quelle saveur.... un vrai bonheur!

Préparation:	30 min.
Cuisson:	30 min.
Attente:	quelques heures
Quantité:	8 portions

Pâte:

375 ml (1 1/2 t.) de farine de blé entier à pâtisserie
*2 ml (1/2 c. à thé) de levure chimique (poudre à pâte) sans alun**
*1 ml (1/4 c. à thé) de stevia**
175 ml (3/4 t.) de beurre
22 ml (1 1/2 c. à soupe) de lait froid
1 Oeuf (petit)

Garniture:

*4 pommes rouges ou jaunes délicieuses de grosseur moyenne**
60 ml (1/4 t.) d'eau

250 ml (1 t.) de farine d'avoine ordinaire (gruau)
60 ml (1/4 t.) de farine de blé entier à pâtisserie
60 ml (1/4 t.) d'huile de tournesol pressée à froid
5 ml (1 c. à thé) de vanille
15 ml (1 c. à soupe) de beurre de pommes, de purée de raisins ou de dattes (recette p. 103)*
Une pincée de cannelle et de muscade

À feu doux, faites mijoter l'eau et les pommes jusqu'à ce que ces dernières soient tendres, environ 15 minutes. Vous pouvez également les faire cuire au micro-ondes, 7 minutes à ÉLEVÉ (100%).

❦ Pendant ce temps, préparez la pâte: Mélangez bien la farine, le stevia et la levure chimique. Ajoutez le beurre et coupez-le dans la préparation jusqu'à ce qu'il ait la grosseur d'un pois. Ajoutez le lait et l'oeuf et formez une boule. à l'aide de vos mains, pressez-la au fond et sur les côtés d'une assiette à tarte de 23 cm (9po.).

❦ À l'aide d'une fourchette ou d'un pilon, écrasez les pommes grossièrement en conservant 15 ml (1 c. à soupe) du liquide de cuisson.

❦ Dans un bol moyen, mélangez la farine d'avoine, la farine de blé, l'huile, le beurre de pomme ou les purées de raisins ou dattes, la vanille et les épices. Incorporez le tout aux pommes en conservant 60 ml (1/4 t.) du mélange pour garnir le dessus de la tarte.

❦ Répartissez le mélange également sur la pâte et faites cuire 30 minutes à 190°C (375°F) sur la grille du bas. Servir froid, de préférence.

---

* **Pour plus de détails voir le panier de provisions au début du livre.**

Tarte pour les amants heureux

(pommes et amandes)

Ah!...Tomber dans les pommes!...

Préparation:	30-45 min.
Cuisson:	45 min.
Attente:	aucune
Quantité:	8 portions

Pâte:

*250 ml (1 t.) de farine blanche non blanchie**
250 ml (1 t.) de farine de blé entier à pâtisserie
*1 ml (1/4 c. à thé) de stevia (facultatif)**
150 ml (2/3 t.) de graisse végétale
175 ml (2/3 t.) de lait
1 ml (1/4 c. à thé) d'essence d'amande (facultatif)

Garniture:

1 ml (1/4 c. à thé) d'essence d'amande (facultatif)
*5 Pommes rouges ou jaunes délicieuses pelées et tranchées**
*30 ml (1 c. à soupe) de beurre de pomme**
10 ml (2 c. à thé) de farine blanche non blanchie ou de farine blanche ordinaire
75 ml (1/3 t.) d'amandes effilées

Dans un grand bol, mélangez bien la farine et le stevia. Coupez la graisse dans la farine jusqu'à ce qu'elle ait la grosseur d'un pois. Ajoutez le lait et l'essence d'amande et remuez bien le mélange. Formez une boule avec vos mains, recouvrez-la d'un linge humide et placez-la au réfrigérateur.

❦ Pendant ce temps, préparez la garniture: Pelez et tranchez les pommes. Déposez-les dans un grand bol et ajoutez l'essence d'amande et la farine. Remuez bien le tout.

❦ Séparez la pâte en deux parties, l'une légèrement plus grosse que l'autre, pour le fond de la tarte. Abaissez cette première partie de pâte sur une surface légerement enfarinée et foncez-en une assiette de 22 cm (9 po).

❦ Badigeonnez le dessus de cette pâte avec le beurre de pomme et déposez la moitié des pommes dans l'assiette. Parsemez ces dernières des amandes effilées que vous recouvrirez du restant des pommes.

❦ Roulez la seconde abaisse de pâte et placez-la sur les pommes en scellant bien les bords. Décorez la tarte avec les retailles de pâte (feuilles, coeurs, torsades etc...) et faites de petites fentes ou un petit trou sur le dessus pour que la vapeur puisse s'échapper pendant la cuisson.

❦ Faites cuire la tarte sur la grille du bas, 15 minutes à 210 °C (425°F) et 30 minutes à 180°C (350°F).

---

* Pour plus de détails voir le panier de provisions au début du livre.

Des Tartinades à cacher...

... Si vous voulez y goûter...

Préparation:	10 min.
Cuisson:	aucune
Attente:	aucune
Quantité:	250 ml (1 t.)

Tartinade écureuil

60 ml (1/4 t.) de beurre d'arachide naturel, sans sucre ni sel ajoutés
60 ml (1/4 t.) de compote de pommes maison épaisse (recette p. 41)
Un soupçon de cannelle

Fouettez bien le tout et réfrigérez.

Tartinade Isabelle

60 ml (1/4 t.) de beurre d'arachide naturel, sans sucre ni sel ajoutés
60 ml (1/4 t.) de compote de pommes maison (recette p. 41)
*15 ml (1 c. à soupe) de poudre de caroube**
5 ml (1 c. à thé) de beurre de pomme ou purée de dattes (recette p. 103)*

Fouettez bien le tout et réfrigérez.

---

* **Pour plus de détails, voir le panier de provisions au début du livre.**

Tartinade «J'en veux encore»

Préparation:	10 min.
Cuisson:	aucune
Attente:	aucune
Quantité:	250 ml (1 t.)

30 ml (2 c. à soupe) de noix de grenoble émiettées finement
250 ml (1 t.) de fromage Ricotta
15 ml (1 c. à soupe) de purée de raisins (recette p. 104)
20 ml (4 c. à thé) de concentré de jus d'orange
0.5 ml (1/8 c .à thé) de cannelle moulue

❦ Mettez les noix de grenoble dans un sac en plastique et émiettez-les avec le rouleau à pâte. Incorporez-les au fromage Ricotta avec le reste des ingrédients. Remuez bien et réfrigérez.

Tartinade «Juste pour moi»

250 ml (1 t.) de fromage Ricotta
*15 ml (1 c. à soupe) de beurre de pomme**
30 ml (2 c. à soupe) d'amandes effilées émiettées
0.5 ml (1/8 c. à thé) d'essence d'amande

❦ Émiettez les amandes effilées entre vos doigts et incorporez-les au fromage Ricotta avec les autres ingrédients. Remuez bien et réfrigérez.

---

* Pour plus de détails, voir le panier de provisions au début du livre. Si vous ne pouvez vraiment pas en trouver, remplacez-la par une compote de pommes épaisse (recette p. 41) en doublant la quantité.

Truffettes

(truffes à la caroube)

Préparation:	20 min.
Cuisson:	1 min.
Attente:	quelques heures
Quantité:	12-15 truffes

Truffées de soupirs et de désirs!...

Truffettes de base:

*155 ml (5 onces) de brisures de caroube non sucrée**
75 ml (1/3 t.) de beurre (non salé, de préférence)
15 ml (1 c. à soupe) de crème à 35%
1 Jaune d'oeuf

- Dans une petite casserole et à feu très très doux, faites fondre les brisures de caroube et le beurre en remuant constamment. Retirez la casserole du feu et ajoutez la crème et le jaune d'oeuf. Brassez bien le mélange et réfrigérez-le une quinzaine de minutes ou jusqu'à ce qu'il soit ferme. Formez de petites boules entre vos mains et roulez-les dans la garniture de votre choix (voir ci-dessous). Gardez au frais.

Choix de parfums:

- Les truffettes peuvent être parfumées avec 2 ml (1/2 c. à thé) d'essence de votre choix, comme par exemple:
  — Essence de rhum, de poire, de vanille, de coco, de menthe, d'amande, etc....

Choix de garniture:

Afin d'enjoliver vos truffettes et de leur donner meilleur goût, roulez-les dans une garniture comme:

— La poudre de caroube
— Les noix de grenoble émiettées
— Les noisettes émiettées
— La noix de coco non sucrée
— Les amandes en poudre, etc.

---

* Pour plus de détails, voir «caroube» à la p. 14

Le menu, par ordre alphabétique

Préface

Recettes

B

P

R

S

T

Le menu par type de plat...

Les bons matins

Les petits bonheurs de tous les jours

Les grands soirs

Les tailles sveltes

Mes «sucrées» de bonnes idées

Lithographié au Canada
sur les presses de
Métropole Litho Inc.